DEIXA QUE EU CHUTO 2, A MISSÃO!

RENATO MAURÍCIO PRADO

DEIXA QUE EU CHUTO 2, A MISSÃO!

Relume Dumará

Editora Relume Ltda.
Rua Nova Jerusalém, 345 - Bonsucesso
CEP 21042-235 - Rio de Janeiro, RJ
Tel. (21)3882-8338 - Fax (21)2560-1183
www.relumedumara.com.br

A Relume Dumará é uma empresa Ediouro Publicações

Revisão
Renato Carvalho

Editoração
Dilmo Milheiros

Capa
Marcelo Martinez

Ilustração da capa
Renato Maurício Prado
por Cláudio Duarte

Ilustrações da quarta capa e do miolo
Marcelo Monteiro

CIP-Brasil. Catalogação-na-fonte.
Sindicato Nacional dos Editores de Livros, RJ.

P92d Prado, Renato Maurício do, 1953-
Deixa que eu chuto 2, a missão! / Renato Maurício Prado ; ilustrações Marcelo Lopes Monteiro / Cláudio Duarte. - Rio de Janeiro : Relume Dumará, 2006
il.

ISBN 85-7316-472-7

1. Futebol - Humor, sátira, etc. 2. Humorismo brasileiro. I. Título.

06-0341 CDD 869.97
CDU 821.134.3(81)-7

DEDICATÓRIA

Às mulheres mais queridas da minha vida:
minha mãe, Lourdinha, e minha filha, Luiza.

À memória do meu pai, Renato: amigo eterno, que, entre tantas outras coisas boas, me ensinou a amar o esporte, não somente como diversão, mas como lição de vida.

AGRADECIMENTOS

Aos companheiros Victor Kingma, Marcelo Migueres Barbosa, Rômulo Monro, Roberto Sander e tantos outros que, antes mesmo de escreverem os seus próprios livros, me enviaram as suas histórias para contá-las na minha coluna.

Ao meu fiel escudeiro Antônio Roberto Arruda, parceiro de tantas (e boas) batalhas e pesquisador diligente que me ajudou a reunir todo o material deste livro.

HOMENAGEM

A Sandro Moreyra e Luiz Amaral, dois grandes contadores de histórias e também autores de livros deste gênero.

SUMÁRIO

APRESENTAÇÃO

TODOS OS DIAS CONVERSO com Renato Maurício Prado no CBN Esporte Clube, ali pelas oito e meia da noite.

A conversa deveria durar coisa de cinco minutos, invariavelmente dura mais, quando não muito mais.

Depois, é uma correria danada para entregar o programa dentro do horário.

Este *Deixa que eu chuto 2, a missão!* revela por que é tão bom conversar diariamente com ele.

Não calculei quantos casos ele contou neste novo livro – que é uma continuação do primeiro *Deixa que eu chuto*, que já fez tanto sucesso, ao ser lançado em 1998.

E, desde logo, aconselho: não faça como eu, que, para escrever estas linhas à guisa de prefácio, li tudo de supetão. Com prazer, sem dúvida, mas com pena, também.

Terei de reler, para poder fixar melhor cada história, não me confundir amanhã quando quiser lembrar uma delas.

Porque este é um livro para ter na mesa de cabeceira e para ser lido em doses homeopáticas.

Três, quatro, no máximo cinco notas por vez.

Para que se possa curtir detidamente cada uma, rir, na maioria das vezes, se emocionar, se enriquecer.

Há crônicas também, algumas delas tocantes ao acarinhar, por exemplo, o pai precocemente retirado de seu convívio.

Há ficções sensíveis, como a que abre o livro, ou a em homenagem ao Dia dos Namorados, na qual um craque que tratava a bola como poucos transforma em obsessão fazer um gol de bicicleta.

E há, ainda, uma crônica que nada tem a ver com esporte, mas esta você mesmo terá o gosto de descobrir, adiante – numa história boa para cachorro.

Leia sem pressa, se for capaz.

E, depois, comece a cobrar o *Deixa que eu chuto 3, o retorno!*.

Juca Kfouri

RÉVEILLON

ENCONTRARAM-SE NAQUELE local do túnel onde a luz e a sombra se confundem. Lá fora, fogos espocavam e a algazarra era total. Na solidão daquele corredor, porém, o silêncio era quase absoluto:

– Eu já vou.

Com a camisa empapada de suor, o mais velho buscava nos olhos do mais novo ao menos a solidariedade dos que chegam. O jovem, entretanto, parecia apressado. Tinha a camiseta igualmente encharcada, mas o que transpirava em seu corpo era o suor da ansiedade, não do cansaço.

– Como está o jogo? – limitou-se a perguntar nervosamente.

– Duro, como sempre – foi a resposta do que saía.

Mecanicamente, o garoto ajoelhou-se ao pé da escada que dá acesso ao campo, benzeu-se com um rápido sinal-da-cruz e já ia se levantando para galgar o primeiro degrau quando o outro pegou-o pelo braço.

– Espera.

Na cabeça do mais velho vinha a imagem de um tempo não tão distante assim. A mesma situação, o mesmo encontro. Só que então era ele o mais jovem.

– Estamos perdendo ou ganhando? – lembra-se de ter perguntado ao que, na ocasião, saía.

– Nem perdendo, nem ganhando. Apenas jogando – foi a enigmática resposta que recebeu.

Recebeu e não entendeu. Na verdade, nem queria entender. Tinha pressa de jogar. Pressa idêntica à que fazia com que, agora, o garoto tentasse se desvencilhar do seu braço.

– Mas o que você quer, afinal? – perguntou-lhe o jovem.

O que queria? Talvez lhe contar do tropeço que levaram ao assomar à escadaria e que o fizera entrar em campo catando ridículos cavacos no ar, divertindo os torcedores. Quem sabe lhe dizer da enorme desilusão ao ver anulado o seu mais belo gol – perfeitamente lícito e que só mesmo a insensibilidade de um juiz mal-intencionado como aquele poderia invalidar...

– E então? – insistiu o garoto, já puxando nervosamente o braço, ante o seu silêncio e a sua demora.

Então... então, descobriu, num relance, não havia o que dizer. Havia também lembranças maravilhosas, como a magia efêmera de um drible curto que nem rendundou em gol, mas fez levantar a torcida e o seu moral. Havia toda a beleza plástica de uma jogada esculpida lance por lance e que não entrou, mas explodiu num magnífico chute no travessão... E havia, enfim, a paixão de 365 dias jogados, incansavelmente.

– Vai. Joga com paixão! – foi a única coisa que sussurrou antes de mergulhar definitivamente no escuro do vestiário, enquanto o outro irrompia, iluminado, no campo de jogo.

Nem perder, nem ganhar. O importante – descobria naquele instante – era mesmo jogar. Jogar, de forma apaixonada e alucinante, mais um ano no jogo da vida.

Que importa o placar?

BONITO, NÃO!

Em entrevista coletiva da seleção brasileira durante a Copa das Confederações, na Alemanha, a repórter Cathrin, uma lourinha de olhos azuis que já morou no Brasil e fala razoavelmente o português, pergunta a Carlos Alberto Parreira se Roque Júnior fora "bonito" como capitão do time no jogo de estréia contra a Grécia. O técnico sorri, diante da pequena "confusão lingüística" e sai pela tangente:

– Com aquele cabelo (estilo *black power*, desgrenhado), "bonito" ele não foi, não. Mas foi um bom capitão...

Ao saber da história, Roque Júnior deu de ombros:

– Quem tem que me achar bonito ou não é a minha esposa, não o Parreira. E ela está me achando lindo assim...

TROCA DE REIS

Na redação, o foquinha soube que Ray Charles (o cantor e compositor) havia morrido e, consternado, soltou essa:

– A Inglaterra deve estar de luto! Pobre daqueles meninos, William e Henry, que já tinham perdido a mãe de forma tão trágica naquele acidente em Paris! Menos mal que de grana eles vão ficar bem... Será o William o próximo rei???

MENU

Ex-fotógrafo internacional de rara sensibilidade e atual *restauranteur* de sucesso, meu amigo Chico Mascarenhas – um dos donos e fundadores do Guimas – foi surpreendido, recentemente, ao encontrar no menu de um restaurante no Pará curioso prato de peixe chamado "Hipogloss"! Curioso, quis saber do garçom que diabo era aquilo. E o homem, na bucha:

– Pacu assado.

FIM DE FESTA

Final de jogo do Corinthians, na década de 1980, são sorteados para o exame *antidoping* Sócrates e Vladimir. A coleta se mostra difícil, e o representante da Federação resolve ir até a cantina buscar uma cervejinha, para ver se apressa o serviço.

Os dois tomam a primeira, nada. A segunda, nada. Terceira, idem. Depois da sexta, Sócrates pergunta ao funcionário responsável pela coleta se "ainda tem mais".

– Não, a cantina do estádio já fechou – desculpa-se o pobre homem.

E o doutor, de bate-pronto:

– É, Vladimir, acabou a festa! O jeito é dar uma mijadinha e ir embora...

VERNÁCULO

Reveladora (e verídica!) cena do nosso "velho e violento esporte bretão". Reunião do departamento de futebol de um grande clube carioca, eis que surge uma dúvida na hora de redigir um documento. Opina daqui, opina de lá, resolvem ligar para a secretária:

– Dona Fulana, como se escreve assessor? Pintou aqui uma dúvida e fizemos até uma aposta. Como? Com esses? Quatro?!?! Juntos, dois a dois? Mas, vem cá, tem certeza que não tem cê? Nem cedilha? Nenhuma?!?! Tá bom, tá bom..

Desligado o telefone, o cartola revela, desolado:

– Olha aí, pessoal, ninguém ganhou a aposta!

AMOR CUBANO

ESSA FAZ PARTE do folclore dos Pan-americanos. No ano em que a competição se realizou em Winnipeg, um grupo de atletas cubanos passeava pela cidade quando um dos cartolas da delegação – um velhinho de oitenta e tantos anos – sofreu um ataque cardíaco. Caído no chão, pediu, como último desejo, uma bandeira para se despedir de sua querida Cuba.

Procura daqui, procura dali, não havia por perto sequer uma flâmula de mão. Foi quando uma das mais belas atletas, penalizada com o sofrimento do ancião, confessou que tinha tatuada em uma das nádegas a bandeira de Cuba. E logo se ofereceu para ajudar.

No meio da rodinha, a mulher virou-se de costas para o moribundo, baixou o *short* e deixou à vista a bandeira cubana tatuada em meio àquela colossal abundância.

O velho a agarrou fortemente e beijou a bandeira, bradando:

– *Mi querida Cuba. Me despido con recuerdos, mi vieja Habana, mi hermosa tierra.*

E tome de beijos e mais beijos na bandeira, diante do grupo emocionado. Depois de um certo tempo, o moribundo pediu então à mulher:

– Mira, chica, ahora date la vuelta que también quiero despedirme con un beso bien grande de mi amado Fidel...

CURVA BARULHENTA

Jogador do Mônaco, o lateral Maicon tirava onda com os seus colegas de seleção brasileira, na última Copa das Confederações, disputada na Alemanha:

– A janela da minha sala é bem em cima da Rascace, a curva mais famosa do circuito de Fórmula 1, no GP de Monte Carlo – contava ele.

E um outro boleiro, gozador, de primeira:

– Deve ser meio barulhenta essa sua sala, hein?

PORTUGUÊS SEM TRADUÇÃO

Festa da classificação da seleção de Portugal para a final da Eurocopa, na RTP, o canal português, começam a passar a entrevista do Felipão. Comentando o jogo, certa hora ele declara que, "como dizem no Brasil, parecia até um bumba-meu-boi, ou seja, jogo lá, jogo cá". O repórter não hesitou e comentou, entusiasmado, em alto e bom som:

– Está aí mais uma expressão brasileira incorporada à linguagem futebolística portuguesa: depois do "mata-mata", a nova é o "bunda do boi"...

ESPIÃO FAJUTO

Escalado por Carlos Alberto Parreira para atuar como observador no jogo entre México e Japão, pela última Copa das Confederações, o preparador físico Paulo Paixão viajou para Hannover e se hospedou, sem saber, no mesmo hotel em que estava a delegação japonesa. Ao se deparar com Zico no *hall* de entrada, fugiu em disparada, "para não ser visto como espião". Às gargalhadas, o ex-jogador do Flamengo e treinador do Japão acabou provocando-o no estádio:

– Como agente secreto você morria na primeira cena do filme!

NEM NO *REPLAY*

CONCENTRAÇÃO DE UM grande clube carioca: dois jogadores juniores, recém-chegados do interior, estão assistindo juntos ao telejornal das dez da noite. Eis que na tela aparece a chamada de uma reportagem sobre um homem que, encarapitado no parapeito da janela, ameaça saltar do alto de um edifício. Entra o intervalo e um dos boleiros desafia o outro:

– Aposto R$ 50 que ele salta.

E o colega:

– Tá apostado.

Quando volta o noticiário, o homem salta mesmo e se espatifa solenemente na calçada. E o jogador que perdera a aposta admite:

– OK. Você ganhou. Aqui estão os R$ 50.

Só que o outro resolve confessar, às gargalhadas:

– Olha... eu não quero o seu dinheiro. Eu vi esta mesma notícia no telejornal das 19 horas e sabia que ele ia pular. Toma o dinheiro e deixa de ser otário.

E o outro:

– Não, você ganhou honestamente. Eu também vi o jornal das sete. Só achei que este cara não ia ser tão estúpido a ponto de pular de novo...

A MARÉ E O JACARÉ

Malandro e ótimo frasista desde os seus tempos de jogador, Jair Pereira quase me matou de rir na época em que treinava o Botafogo (se não me engano) e foi flagrado durante um coletivo gritando as seguintes e, aparentemente, indecifráveis instruções:

– Maré, maré, maré...

– Jacaré, jacaré, jacaré...

Questionado pelos repórteres, explicou com o devido bom humor:

– Maré é quando a hora é boa pra atacar e eu peço pra todo mundo ir à frente. Jacaré é quando o time adversário toma a bola e eu grito pro time inteiro recuar correndo....

COISA PIOR

Botafogo × Atlético Paranaense: o alvinegro Júlio Cezar Coimbra assiste a mais uma tragédia, ao lado do sobrinho, nas cadeiras do Maraca. Eis que o garoto descobre algo inusitado:

– Ô tio, tem um cara ali fazendo xixi na geral!

– Liga não, Gutinho. Tem onze caras ali no campo fazendo coisa bem pior...

TAPETE

A seleção brasileira chega para treinar no campo do Bayer Leverkusen e o zagueiro Juan (que joga no clube) ouve a provocação de um gozador:

– Aqui você vai levar vantagem, pois conhece bem todos os buracos, né?

E Juan, entre orgulhoso e desafiador:

– Se você achar um buraco que seja neste gramado eu pago o jantar.

O engraçadinho ficou com fome...

TUDO BEM! MAS PRA LÁ...

UMA DELICIOSA HISTÓRIA da terra de Chico Anysio, confirmada pelo próprio.

Jogava o time de Limoeiro contra o de Caruaru. Um clássico do interior pernambucano, com arbitragem de juiz da capital.

O Limoeiro tinha como dirigente um dos filhos do Coronel Chico Heráclio, que mandava e desmandava na cidade. Estadiozinho lotado, partida "arretadíssima", faltando seis minutos para o final, o juiz marca um pênalti contra o Limoeiro. Ato contínuo, este se vê cercado pelos 22 jogadores, dirigentes e torcedores. Naturalmente, o tempo fecha.

Razoavelmente serenados os ânimos, o chefe do policiamento local aconselha que a decisão final seja do Coronel Heráclio. Os dois times, juiz, bandeirinhas e policiais vão até a casa-grande da fazenda – quase ao lado do campo.

– O que está acontecendo, filho? – pergunta o coronel.

– O juiz marcou um pênalti, pai.

– E o que é isso?

– O jogador que vai bater fica frente a frente com o goleiro. É gol na certa.

Quando o grupo vai descendo a escadaria, de volta ao jogo, ouve-se o vozeirão do coronel:

– Olha, "seu" juiz, já que você é a autoridade em campo, mande bater o tal do pênalti lá na área do Caruaru, viu?

Final de jogo: Limoeiro 1 a 0. De pênalti.

TARDE DEMAIS

Esta aconteceu quando o poderoso Palmeiras da década de 1950 foi jogar um amistoso no interior mineiro. Bandeirava a partida o famoso João Gaguinho, um olho de lince em campo, mas uma língua pra lá de travada, como deixava bem claro o apelido.

Bola correndo, eis que explodiu um sururu na área do time da casa. O árbitro, meio encoberto, percebeu que um jogador agredira outro com uma medonha cotovelada. Não conseguiu, contudo, ver direito quem fora o agressor. Resolveu, então, pedir ajuda ao João Gaguinho.

– Fo-foi o Va-vá, vá...

E sua senhoria, sem pestanejar, mandou para o chuveiro mais cedo o centroavante Vavá, o "Leão das Copas" de 58 e 62.

Somente ao final da partida, desolado, João Gaguinho conseguiu explicar ao juiz:

– Na, na, não, fo-foi o Va-vá. Fo-foi, o Va-val-demar Ca-ca-rabina!

Tarde demais...

VIVA O JAPONÊS

Apesar do sucesso que vem obtendo como técnico do Japão, Zico não se ilude:

– Lá é igual a todo lugar. Ganhou é bestial, perdeu, uma besta... E a imprensa cobra igualzinho.

– Mas, em dia de derrota, as críticas não te incomodam – pergunta um jornalista brasileiro.

– Não, porque eu não entendo nem uma linha do que está escrito nos jornais japoneses – admite Zico, às gargalhadas.

DOIS?!?

ELEIÇÕES NO VASCO, clima de guerra. Naquele dia, a Oposição ao então presidente Agathyrno Gomes apresentava sua chapa.

Detalhe: o principal patrocinador do programa era a Besouro Veículos, empresa cujos donos apoiavam a oposição vascaína e onde trabalhava um então obscuro Eurico Miranda, apontado como futuro diretor de Futebol.

Eurico, exaltado, desancava a Situação, acusando-a de desmandos, desvios de verba e arrogância. Parecia antever o futuro.

O convidado especial da mesa era o compositor e humorista Juca Chaves, que a tudo assistia calado. Foi então que o locutor Carlos Lima, que cobria as eleições para a sua rádio, resolveu perguntar-lhe o que pensava da polêmica. E o Juca, muito sério:

– Eu acho que a culpa é dos franceses.

– Como?!?

– Se eles tivessem resistido aos portugueses...

Aí, Eurico interrompeu:

– Você está gozando a colônia portuguesa?

E o Juquinha, ferino:

– De jeito nenhum, mas você está me lembrando do meu *show*. Outro dia eu contava uma piada de português quando um cara gritou da platéia: "Veja lá, que eu sou português!" E eu disse: "Não tem problema, eu conto cinco vezes..."

Eurico, furioso, quase apoplético, vociferou:

– Você está realmente querendo nos ofender. Não admito! Sou filho de dois portugueses...

E o Juca, sem se conter:

– Dois portugueses?!?

Gargalhadas gerais, e o Lima, coitado, teve que pedir os comerciais...

FAZER O QUÊ?

Era uma daquelas viagens de uma Libertadores qualquer. Acompanhando a equipe da Rádio Globo (da qual eu era o comentarista), João Saldanha desembarcou em Cochabamba e pegou um táxi. Mal o carro começou a rodar, o motorista virou-se e perguntou:

– *Señor, quieres mujer?*

E o Saldanha:

– *No, gracias.*

O taxista, entretanto, não se deu por vencido:

– *Señor, quieres brillo* (cocaína, na gíria, em castelhano)?

E o João:

– *No, gracias.*

Aí o homem perdeu a esportiva:

– *Señor, si no quieres mujeres, ni brillo, que diablos quieres acá em Cochabamba?!?!?*

CORRE PRO ENTERRO!

A jovem estava no seu primeiro dia de trabalho, numa rádio do interior. Após tocar algumas músicas, recebeu da produção uma notícia que devia ser divulgada no intervalo. Colocou-a ao lado do microfone, mas somente duas horas depois lembrou-se dela:

– Urgente: o enterro do Comendador Nogueira será realizado no Cemitério Parque da Saudade, às 15h – disparou, esbaforida.

– Você está louca? Já são 16h – comentou, em voz baixa, o produtor.

E ela, sem titubear:

– Caros ouvintes, o enterro já começou. Mas quem correr ainda pega a descida do caixão...

CENSURA

O assessor de imprensa da CBF revela: em todos os quartos em que os jogadores da seleção brasileira se hospedaram na última Copa das Confederações (e assim será também na próxima Copa do Mundo), todos os canais eróticos foram bloqueados, por ordem da comissão técnica:

– Em competições deste porte não dá pra deixar a turma solta, nem pra desperdiçar um pingo de energia que não seja nos treinos e jogos e, no máximo, nos dias de folga... Individual, no quarto, decididamente, não dá!

REVELAÇÕES NO ELEVADOR

ESTA ACONTECEU na Copa de 74, na Alemanha. Voltando de um exaustivo dia de trabalho, o repórter Antonio Maria Filho apanhou o elevador de seu hotel, e quando as portas já iam se fechando, dois casais de jovens turistas brasileiros entraram correndo.

Excitadíssimos, vinham de um apimentado programa noturno – um *show* de sexo ao vivo, grande novidade naquela época, ainda mais para os brasileiros.

Olhando para o Maria, com seu porte atlético e seu ar de estrangeiro, uma das moças nem se incomodou e, embalada por generosas doses de álcool, começou a comentar detalhes "picantes" do espetáculo e de seus protagonistas:

– Mas você viu o....

– E a hora em que ele pega a dona, vira e...

Rindo, até os rapazes entraram no jogo. Tudo turbinado pelo fato de o ousado diálogo estar sendo travado diante de um "estrangeiro" que, teoricamente, não entendia patavinas.

Muitos andares acima – o hotel era altíssimo –, uma das mulheres comentou:

– Olha só a cara do alemão. Todo risonho... Está rindo de quê? Deve ser um tremendo mané.

Foi quando o elevador finalmente chegou ao andar do Maria e ele, que até ali se mantivera calado como um túmulo, despediu-se:

– Boa noite, boa noite. Que futebol, que nada, né?

PARAÍSO, PURGATÓRIO E INFERNO

Romário morreu e foi pro céu. Lá chegando, foi recebido por São Pedro, que lhe entregou as chaves de sua nova morada.

– O caminho é aquele ali – disse Pedro, apontando para o Baixinho uma estradinha pedregosa.

Depois de caminhar um bocado, descalço e sobre o cascalho, o que lhe valeu uma série de bolhas nos pés, o artilheiro chegou enfim a um casebre vagabundo. Abrindo a porta, deparou-se com uma cama de palha e um tremendo tribufu deitado nela. Imediatamente, ouviu-se uma voz trovejante lá do alto:

– Baixinho, você destroçou muitos corações enquanto esteve na Terra. Agora terá que pagar seus pecados durante toda a eternidade...

No dia seguinte, morreu Renato Gaúcho. E o ritual se repetiu, no barraco vizinho. Outra tremenda mocréia na cama de palha e o vozeirão implacável:

– Renato Gaúcho, você despedaçou muitos corações femininos... Agora chegou a hora do troco!

No terceiro dia, morreu o Iranildo. E lá se foi o pobre coitado, pelo mesmo caminho, rumo ao terceiro barraco da mesma rua. Só que, ao abrir a porta, deparou-se com a Luana Piovani, peladinha, deitada na cama. E a voz celestial determinou:

– Luana, você destruiu muitos corações masculinos em sua vida terrena. Agora vai pagar caro...

CARTÃO VERMELHO

Um jogador brasileiro que se transferiu para o futebol alemão (um daqueles muitos dos quais mal se ouviu falar no Brasil) chegou cheio de banca e, na primeira folga, ligou para o Paccha's Club (a mais famosa casa de prostituição da Alemanha, em Colônia), encomendando quatro garotas. Quando estas bateram no seu quarto, escolheu as duas que achou mais bonitas e dispensou as outras. A salgada conta (enviada, naturalmente, para o clube) foi relativa às quatro e, por muito pouco, ele não acabou enviado também de volta para o Brasil...

CARRASPANA

Marinho "Bruxa", lateral-esquerdo do Botafogo, na década de 1970, saía de uma farra homérica, completamente de porre. Ao entrar no carro, começou a berrar:

– Polícia, socorro, fui roubado, levaram tudo: rádio, toca-fitas, volante, até o painel! Depenaram o meu carrão – urrava, desesperado.

Foi quando aproximou-se um PM, querendo saber o motivo da medonha algazarra. E Marinho repetia:

– Levaram tudo: rádio, toca-fitas, painel, até o volante!

O policial olhou, olhou e, balançando a cabeça, avisou:

– Calma, cidadão, o senhor está no banco de trás...

CABELEIRA

Transmissão do Campeonato Alemão, o poderoso Bayern de Munique enfrenta um dos últimos da tabela. Querendo ilustrar a disparidade de forças, o locutor brasileiro do canal a cabo arrisca:

– É o confronto de Davi com Sansão!

E o comentarista, homem bem mais letrado, rebate, com humor:

– Ué, então o cabeludo era o Golias?

MUITO PRAZER

Anos 70, um novo motorista foi contratado para trabalhar para um diretor do Banco do Brasil. Em seu primeiro dia no serviço, disposto a puxar assunto, o mulato simpático perguntou ao novo patrão se gostava de futebol.

O figurão respondeu que fora torcedor fanático do Fluminense, mas que deixara de ir aos estádios desde que o tricolor formou o que ele considerava "o pior ataque de todos os tempos".

– Calazans, Quarentinha (não o que jogou no Botafogo, mas o do América), Rodrigo (que Nelson Rodrigues apelidou de El Cid), Valter e Escurinho – escalou o executivo, justificando o seu desânimo.

E o motorista, encabulado:

– Eu sou o Calazans...

SANTA INOCÊNCIA

Era um jogo do Grêmio contra um time do interior do estado. Partida duríssima, zero a zero no placar. No finalzinho, o folclórico André Catimba marcava a saída de bola do zagueiro dentro da grande área. Cerca daqui, cerca dali, de repente André relaxa a marcação e se vira de costas dizendo para o becão:

– Pega a bola, que o juiz apitou o fim do jogo.

O zagueirão prontamente abaixou-se e pegou a bola com as mãos para entregá-la ao juiz que, incontinenti, apitou: PÊNALTI a favor do Grêmio! Santa inocência, Batman.

LÁGRIMAS NA VISEIRA

NÃO FOI O ESPETACULAR drible de Robinho, nem o impressionante golaço de Marcelinho Carioca, tampouco o passeio do tenista espanhol Ferrero, no saibro de Monte Carlo. Nada me impressionou mais no final de semana que passou do que o Grande Prêmio de F-1 de San Marino, em Ímola.

Meu espanto não vem sequer do resultado da corrida em si – autêntico passeio do campeoníssimo Michael Schumacher e sua Ferrari. Mas de tudo que o cercou.

Tento explicar, voltando no tempo. Era fevereiro de 1992, e eu vivia um dos momentos mais dolorosos de minha vida: a morte de meu pai.

O "velho" era mais, bem mais, que um amigo – era o meu ídolo, o meu herói, o meu grande companheiro. Minha referência e exemplo de caráter, honestidade e lisura.

Um mal-estar, um infarto bobo, banal; seguido de um derrame (causado por uma medicação equivocada) e, pronto, o perdi: tão cedo, tão rapidamente...

– Estava preparado?

Dia seguinte ao do seu enterro, na academia Lob, de tênis, tentava eu exorcizar, a raquetadas, aquela dor profunda, aquela insuportável sensação de vazio e perplexidade.

– Ei, Renato, você estava preparado?

Do outro lado da quadra, vinha a voz do amigo Júlio César, grande companheiro de trabalho e de tênis, que me perguntava, gritando, se eu estava preparado (e prestando a atenção) para receber o seu saque.

Esclareço: ele não ia sacar; já tinha sacado! E eu sequer vira a bolinha passar à minha frente. Daí a pergunta, em tom de espanto, pois aquele serviço nem fora tão forte assim.

– Você quer que eu saque de novo?

Eu quis. Mas, apesar de todos os esforços, lembro-me de que naquele dia mal consegui colocar a bola na quadra. Por mais que tentasse espairecer, me desligar e focar no jogo (buscando anestesiar o sofrimento sem tamanho) o resultado foi desastroso.

Não me lembro direito, mas com certeza perdi – e feio. Se não foi 6/0, 6/0, devo à amizade e à gentileza do parceiro e amigo.

Retornemos a Ímola. Antes do treino de qualificação para a formação do *grid*, no sábado, os irmãos Schumacher recebem a notícia de que a mãe, Elizabeth (já internada em um hospital) sofrera forte hemorragia interna durante intervenção cirúrgica, e estava em coma induzido.

Ainda assim, eles treinam (sabe-se Deus como!), fazem as duas primeiras posições no *grid* (Michael em primeiro, Ralf em segundo) e embarcam num avião para visitá-la, num hospital em Colônia, na Alemanha.

Lá chegando, recebem a notícia devastadora. O quadro é irreversível. A morte iminente sequer dá esperança de uma última conversa – o estado de coma evoluirá até a parada cardíaca.

Os irmãos confabulam com os médicos e decidem, então, retornar à Itália e correr o GP de San Marino.

Volto ao meu tênis e às minhas lembranças. E recordo que o mais difícil naquele dia era exatamente me concentrar em algo que não fosse a minha tristeza.

Durante a partida, em um ponto ou outro, até conseguia – e era essa a esperança e o intuito ao decidir jogar em momento de tanta angústia.

Mas, qual o quê. Bastava um segundo, um som, um vulto, e pronto. Parecia ouvir a voz do meu pai, ou o som do seu riso na gargalhada de um boleiro da quadra ao lado.

E voltava toda a dor – e eu me desconcentrava por completo –, na óbvia certeza de que nunca mais o ouviria ou veria.

Se o tênis é dos esportes que mais concentração exigem, a F-1 ocupa, com certeza, o primeiro lugar nesta lista em que o foco e atenção absoluta são pré-requisitos, não somente para o sucesso, mas para a própria segurança – e, no automobilismo, por que não dizer, sobrevivência.

Agora, imagine os irmãos Schumacher, lado a lado, na primeira fila do *grid*, momentos antes da largada, instante de maior tensão em qualquer GP.

Terão olhado um para o outro? Terão buscado, com a vista, as arquibancadas, onde tantas vezes a mãe assistiu às corridas de ambos, chegando a vender sanduíches para aumentar a renda familiar e bancar os pimpolhos sobre rodas?

Deve ter sido difícil, muito difícil. A cada curva, a cada freada, a cada ultrapassagem, um *flash* na memória: a vida misturada em passado, presente e futuro, na dura certeza de que as cenas de comemorações em família não serão jamais as mesmas.

Triste convicção de que em cada vitória, seja ela do que for, não haverá mais um de seus maiores torcedores a lhe dizer "parabéns" e se orgulhar de você, multiplicando por um milhão a sua própria alegria.

Convicção pior ainda, de que nas derrotas não encontrará mais aquele ombro amigo para lhe ajudar e consolar, até mesmo quando não concordava com o que fora feito.

Confesso que assisti ao Grande Prêmio de San Marino entre perplexo e admirado. Michael Schumacher pode ter exibido força incomum, na cerimônia do pódio, quando não verteu uma lágrima sequer.

Mas a mim ele não engana. E o que eu me pergunto até agora é como este alemão pôde, na solidão do do seu *cockpit*, guiar a 300km/h com lágrimas a embaçar a viseira do seu capacete?

EM INGLÊS, NÃO!

Encerrada a final de Roland Garros, em 2005, o espanhol Rafael Nadal concedia a tradicional entrevista coletiva do campeão, falando em espanhol. Quando chegou a hora das perguntas em inglês (que ele ainda não domina bem), a primeira foi logo de matar:

– Você poderia nos explicar como foi aquele fantástico ponto em que você conseguiu salvar o quarto *set*? – pediu um jornalista americano.

– Não posso! – desculpou-se Nadal.

– Por quê??? – estranhou o repórter.

– Em inglês, não consigo explicar tudo o que houve...

Gargalhadas gerais e, animado, o tenista foi, aos poucos, arriscando a longa e detalhada descrição (foi um autêntico rali) no idioma de Shakespeare.

Com jeitinho, conseguiu. E levantou os braços, satisfeito, repetindo o gesto que fizera ao ganhar o tal ponto, na quadra.

Foi aplaudido de pé.

EXPLODE CORAÇÃO!

APAIXONADO POR ESPORTES, viu a geringonça pela primeira vez na praia. Curioso, não resistiu e aproximou-se do cidadão que corria com o tal aparato:

– O amigo me desculpe, mas que raio de sutiãzinho é esse?

Não era nenhum porta-seios (cáspite!). E da enxurrada de palavrões com que foi brindado pelo atleta do calçadão nenhum se encaixava adequadamente ao tal treco.

Dias depois, num jantar com amigos, finalmente conheceu o monitor cardíaco:

– Você ainda não tem um??? – espantou-se um de seus velhos companheiros.

Não tinha.

E como ainda tem coragem de correr ou caminhar na praia? – fuzilou o outro.

– Correndo! – respondeu, num muxoxo, irritado com aquele espanto todo.

Na volta para casa, entretanto, começou a ficar encucado. Afinal, pelo que os amigos tinham dito, aquela cintinha ridícula poderia salvar a sua vida, pois monitorava, com precisão, os batimentos do coração.

– Depois dos 40, meu caro, todo esforço é perigoso. Hoje em dia não faço nada sem o meu reloginho e a minha cinta. Passou da faixa de esforço máximo permitido para a minha idade, piso no freio! – confidenciou-lhe Betão, o craque da turma nos tempos de colégio e que até hoje mantinha o saudável hábito de correr na praia e jogar suas peladas duas a três vezes por semana.

Pelo sim, pelo não, acabou comprando a trapizonga. Leu e releu o manual e no dia seguinte, cedo, rumou para a orla, disposto a dar um galope matinal, verificando a quantas andava o maltratado coração.

Que decepção! Bastaram alguns metros para que o maldito relógio desandasse a bipar alucinadamente, como o monitor de um enfartado na UTI. Seus batimentos chegavam a 190 por minuto, o que, segundo os cálculos feitos com as instruções do manual, significavam um autêntico absurdo.

Sua zona ideal para exercícios, ainda de acordo com o livrinho, andava em torno de 140 e – mais grave! – sua freqüência cardíaca máxima deveria alcançar 175 pulsações a cada 60 segundos.

Apavorado, parou de correr e iniciou uma caminhada rápida. Ainda assim, o coração continuou descompassado, alternando entre 140 e 150 batidas. Trocou o passo de marcha pelo de passeio. Só então pôde respirar um pouco mais aliviado, ao ver que o número de seus batimentos caiu para 100 (o que não chegava a ser uma grande marca, mas, pelo menos, o livrava do risco iminente de um ataque cardíaco).

Ao chegar em casa, amuado, contou a desdita à mulher, que tratou logo de consolá-lo:

– Fica assim não, benzinho. Você ainda é o meu atleta do coração.

Um trocadilho aqui, um chamego ali, o clima foi esquentando aos poucos e ele até se esqueceu do preparo físico. No melhor da festa, porém, o inesperado: o maldito relógio disparou a bipar alucinandamente de novo, e ele, suando em bicas, percebeu que sua pulsação já estava em torno de 200.

– Pára, pára tudo, porque eu estou tendo um enfarte!

Enfarte não era, mas que nosso herói arrumou uma bela confusão em casa, lá isso arrumou. A mulher saltou da cama, indignada, fez as malas e se mandou para a casa da mãe, jurando que só volta no dia em que ele aposentar de vez a cintinha maldita e... VOLTAR À FORMA!

Como entender os mistérios do coração?

VOCABULÁRIO

Final de jogo no Maracanã, o lateral Marinho, o "Bruxa" (que jogou no Botafogo, no Fluminense e na seleção brasileira na Copa de 1974), justificava o revés de seu time:

– Nossa derrota pode ser explicada em apenas duas palavras: A – ZAR.

CAIPIRA

Década de 1980, quando o XV de Piracicaba ganhava projeção como nova força do interior paulista, o então presidente do clube importou um técnico inglês, Bob Kluber, para compor a comissão técnica.

No primeiro dia sob seu comando, ao fim do coletivo, Kluber ordenou que fosse realizado um treinamento de pênaltis. Depois de inúmeras cobranças, já ao pôr-do-sol, o artilheiro do time se dirigia ao vestiário quando Bob gritou:

– *Once more!*

O artilheiro, assustado, virou-se e respondeu:

– Eu? Eu "more" em Piracicaba mesmo e "ocê"?

O GOL ERA OUTRO

Libertadores de 1990, o Vasco jogava contra o Nacional de Medellín, em meio ao Campeonato Brasileiro. Flamengo e Fluminense jogariam no mesmo dia, por isso, a maioria das rádios decidiu não mandar equipes à Colômbia.

A Capital, entretanto, enviou o locutor Garcia Júnior para fazer a transmissão. E este soube, no intervalo, que as concorrentes estavam dando informações baseadas no que ele narrava (não havia transmissão de TV). Eis que, aos 38 minutos, Quiñonez (aquele tresloucado equatoriano) faz um pênalti. E Higuita, o folclórico goleiro colombiano, prepara-se para a cobrança:

– Vai bater Higuita. Acácio preparado! – esgoela-se Garcia.

E, aproveitando que o pênalti demorava a ser batido, resolveu aprontar uma molecagem com os coleguinhas que estavam na escuta, no Brasil:

– GOL!

E todas as outras rádios cariocas noticiaram, imediatamente:

– Em Medellín, gol do Nacional. Higuita, de pênalti.

Mas Garcia Júnior continuaria, após a pausa:

– GOL, o carro mais vendido do ano.... (a Volkswagem era uma das patrocinadoras da transmissão).

E o pior (para as rádios rivais): Acácio defendeu!

PORTUNHOL

Taça Libertadores das Américas. No luxuoso hotel, na Venezuela, depois do almoço, o cartola foi até o bufê e pegou uma sobremesa: um suculento pedaço de mamão. Sabendo que se tratava de um dirigente do clube brasileiro e querendo ser amável, o *maître* foi até a mesa e perguntou:

– *Como está su "papaya"* (mamão em espanhol)?

E o cartolão, consternado:

– *Mi papaya infelizmente já morrió! Pero mi "mamanha" está viejita mas ainda muy fuerte!*

DE OUVIDO

Uma pescada nas ondas do rádio. Vai começar o jogo no interior, e o repórter de campo avisa ao locutor:

– Antes do pontapé de saída, haverá um minuto de silêncio em homenagem ao grande e queridíssimo benemérito e ex-prefeito Fulano de Tal.

O locutor ainda faz alguns elogios ao falecido, e logo o estádio inteiro mergulha em profundo silêncio por 60 segundos. Findo o prazo, o árbitro apita e o repórter emenda:
– Vocês acabaram de ouvir (?!?!) um minuto de silêncio em homenagem a Fulano de Tal.

SUPERSTIÇÃO

No caminho para o estádio, o ônibus da delegação de um famoso time de futebol pára num posto para reabastecer. O supervisor, precavido, grita bem alto:
– Ninguém pode fumar enquanto estivermos aqui!
Do fundo da condução, vem a voz gutural:
– Corta essa, chefia, superstição não ganha jogo...

SOLIDARIEDADE

Essa, dizem, aconteceu com o velho Duque, folclórico treinador de vários times do Rio e do Nordeste.
No intervalo de um jogo, revoltado com a péssima atuação de sua equipe, Duque resolveu dar uma dura nos jogadores. Assim que todos se sentaram, no vestiário, ele aproveitou o silêncio sepulcral para lançar um desafio:
– Aquele que se julgar burro fique de pé.
Todos continuaram sentados, no mais absoluto silêncio. Alguns minutos depois, o capitão da equipe, um dos mais inteligentes do grupo, levantou-se.
– Quer dizer que você se acha burro? – perguntou Duque, preparando-se para iniciar sua peroração.
– Pra dizer a verdade, não! Fiquei com pena do senhor, aí em pé, sozinho...

O TELEFONE DO TOTÓ

Essa foi contada pelo próprio Renato Gaúcho ao repórter Diogo Aída. Estava ele na praia, quando passou à sua frente uma menina bonita, andando no calçadão com um cachorro. Rápido no gatilho, o galã sacou a velha cantada:

– O cachorrinho tem telefone?

A gata sorriu e deu o número, toda dengosa. Horas mais tarde, Renato ligou. E do outro lado da linha:

– Veterinária São Luiz...

PASSAGEIRO ERRADO

Zé Carlos, que brilhou no meio-campo do grande Cruzeiro de Tostão, Dirceu Lopes e Raul, estava indo à noite de Belo Horizonte para Juiz de Fora (sua cidade natal). Como o destino final do ônibus era o Rio, pediu ao motorista que o acordasse na sua parada. Mais: preveniu-o de que tinha muita dificuldade em despertar e insistiu que o fizessem descer de qualquer jeito em Juiz de Fora. E, de fato, o ônibus chegou lá e foi uma luta. Somente depois de muito esforço conseguiram desembarcar o sonolento. Horas mais tarde, Zé Carlos acordou, ainda no ônibus mas já no Rio! Foi reclamar com o motorista, e este concluiu:

– Ih! Descarreguei o crioulo errado... Por isso é que ele esperneou tanto!

DIA DE ROBINHO

HOJE É DIA DE Robinho. Sem saber ao certo quanto tempo mais o craque moleque do Santos jogará por aqui, o amante do futebol-arte tem a obrigação de aproveitar todas as oportunidades possíveis para ver, de perto, uma das maiores revelações do esporte mundial. Robinho (ao lado de Ronaldinho Gaúcho) representa, atualmente, o que de mais puro há em termos de talento com a bola. É o tipo do craque que vale o ingresso, vale o espetáculo, independentemente do time pelo qual bate o coração do torcedor.

Lembro-me bem do tempo em que Zico começou a se aproximar do final da sua gloriosa e inesquecível carreira e vários amigos passaram a ir religiosamente aos estádios, nos dias em que ele jogava, para não perder as últimas exibições do maior jogador rubro-negro de todos os tempos.

É mais ou menos o que acontece agora em relação a Robinho, com a diferença de que a trajetória do garoto do Santos está apenas começando. Mas ele já vai para o exterior...

Há uma outra considerável distinção para os rubro-negros. Nos tempos de Zico, era só prazer. Ele jogava (e como jogava!) a favor. Hoje, Robinho jogará contra! E vê-lo enfrentar esta combalida equipe rubro-negra faz a torcida do Fla misturar sentimentos antagônicos: medo e admiração, prazer e sofrimento.

Seja como for, insisto, vale a pena. Assistir a uma exibição de Robinho é algo que, como diz aquele anúncio já batido, não tem preço. Mesmo quando a vítima pode ser o seu time...

JÁ TENHO SAUDADES

DIZEM QUE OS ESTÁDIOS não choram. Mentira! Tolos são aqueles que atribuem apenas aos torcedores os gritos, coros, vaias e lamentações que emanam das entranhas destes monstros de cimento. Todos têm alma, humores e amores – e, como bem dizia um dos *slogans* do saudoso locutor Waldir Amaral, só se calam quando "Desertos e Adormecidos, como o Gigante do Maracanã".

Foi por isso que ouvidos mais atentos puderam captar, na rodada que passou, choro e ranger de dentes, vindos das arquibancadas do Oiapoque ao Chuí.

A emoção mais forte acontecia no Mangueirão, em Belém, mas, na verdade, estendia-se pelos estádios de norte a sul deste país.

Dia de festa, dia de luto. Dia da despedida dos nossos gramados do maior artista da nova geração do futebol brasileiro. Dia de dar adeus a Robinho.

Como não chorar a perda deste moleque travesso, de riso e dribles tão fáceis, que tornavam leve e alegre o espírito dos que tiveram o privilégio de vê-lo jogar?

Vai, menino, vai ganhar o mundo e exibir a sua arte incomparável nos campos da Espanha e da Europa.

Se aqui choram, do Mangueirão ao Beira-Rio (e está de luto fechado a Vila Famosa), do lado de lá ri, às gargalhadas, o milionário Santiago Bernabeu, eufórico, na expectativa da sua chegada, que tornará ainda mais brilhante e galáctico o esquadrão do Real Brasil – quero dizer, Real Madrid...

Vai, Robinho, vai. Vai certo de que, mesmo de longe, continuaremos torcendo por seu sucesso.

Nossos estádios vertem lágrimas de esguicho, como diria Nélson Rodrigues, mas, assim como nós, amantes do futebol, o saúdam, festejam e agradecem, por terem sido palcos e testemunhas, ainda que por tão pouco tempo, de parte desta sua brilhante história.

Vai, moleque, vai. Já estamos todos morrendo de saudades!

◆

A transformação do Real Madrid em "Real Brasil" é uma aposta de alto risco do técnico Vanderlei Luxemburgo. Uma boa aposta, não resta dúvida, diante da indiscutível qualidade do time que vai formando. Mas, ainda assim, uma aposta que pode ser perigosa, se os resultados não aparecerem a curto prazo.

Da maneira que se desenha, a equipe de Luxemburgo deverá ter dois ou três, no máximo, quatro espanhóis no time titular – o goleiro Iker Casillas, o lateral Michel Salgado (até a chegada de Cicinho), o zagueiro Ivan Helguera e o meia-atacante Raul.

Já os brasileiros poderão ser cinco (Cicinho, Roberto Carlos, Júlio Baptista, Ronaldo e Robinho) – fora o treinador e boa parte de sua comissão técnica.
É o tipo de receita que pode ser "engolida", enquanto houver vitórias e títulos. Nos primeiros tropeços, porém, começará a xenofobia contra a legião brasileira, como já aconteceu com os holandeses no Barcelona, há alguns anos.
Vanderlei é um dos treinadores mais competentes do planeta. Mas essa aposta é alta. Pode levá-lo ao Olimpo ou ao Inferno. É pagar pra ver.

◆

Atualização obrigatória: deu Inferno...

ONZE GOLEIROS?

Interior do Estado do Rio, cidade de Bom Jesus do Itabapoana. O infantil do Olímpico local iria enfrentar o do Natividade Atlético Clube (NAC), de Natividade, em jogo amistoso. Tendo a delegação do NAC chegado atrasada ao local da partida, num domingo frio de inverno, às 7h, o treinador da equipe, Mauro Tovar, se apressou em tirar a garotada da Kombi e levá-la ao vestiário.
Lá, com o time já devidamente uniformizado e aquecido, o técnico, querendo fazer uma pequena preleção, porém não sabendo se havia tempo hábil, em face do atraso ocorrido, pede ao roupeiro Bilisca:
– Vê se o time deles já está em campo.
O roupeiro apressa-se e retorna com uma notícia tão absolutamente inusitada quanto surpreendente:
– Ô, Mauro. Em campo eles já estão, mas o time deles só tem goleiro!!!
O Olímpico, já em campo, em função do frio intenso, estreava o seu novo e garboso uniforme – todo de mangas compridas...

ANIVERSÁRIO

O jovem chega para treinar no grande, clube e o treinador das divisões de base lhe pergunta:

– Qual é a data do seu nascimento?

– 15 de julho.

– De que ano?

– Todo ano...

HUMOR MACABRO

Aí, um DJ pergunta ao outro, sobre o seu trabalho em Bagdá.

– E aí? Como estão as noites no Iraque?

– Bombando geral...

A DEVOÇÃO DE HENÁGIO

SERÁ QUE ALGUÉM se lembra do folclórico Henágio, habilidoso sergipano que chegou a se destacar jogando em Recife e, certo dia, acabou na Gávea, contratado para ser o substituto de Zico!

Henágio, é claro, só substituiu o Zico em algumas partidas do saudoso (e controvertido) título brasileiro de 1987, quando o Galo já lutava contra seguidas contusões, mas mesmo assim comandava um timaço em que jogaram, entre outros menos votados, Jorginho, Leandro, Edinho, Aldair, Leonardo, Andrade, Zinho, Renato Gaúcho e Bebeto.

(Pausa para rápida observação do autor: Deus do céu, compara a turma que jogava naquela época com a que joga agora...)

Mas deixemos de lado as dolorosas reminiscências e voltemos ao Henágio. Já no final da carreira, nosso herói assinou contrato com o Cotinguiba, modesto clube de Sergipe.

Novo na cidade, ao passar pela pracinha central vislumbrou um monte de jogadores de seu modesto time conversando. Ato contínuo, parou o carro (um luxo por aquelas bandas) e saiu, serelepe, caminhando em direção à estátua de um homem com ar solene, montado num cavalo, no meio do coreto.

Um dos companheiros, curioso, lhe perguntou:

– Aonde você vai?

E Henágio, ar contrito, respondeu de bate-pronto:

– Não se envolva, não. Isso é coisa de religião, é coisa de fé...

Dito isto, se ajoelhou diante da estátua e, olhos cerrados, rezou. Encerrada a oração, já ia voltando para o carro, quando o companheiro insistiu:

– Mas, afinal, o que foi isso, Henágio?

E o malandro não perdeu a pose:

– Eu sou um fiel fervoroso de São Jorge e vim rezar, ora bolas!

Foi quando o time inteiro caiu na gargalhada e o colega disparou, na lata:

– Deixa de ser burro, Henágio. Essa estátua aí é do Duque de Caxias...

FOME

Concentração do Flamengo nos áureos tempos de Zico e Cia., o folclórico Peu saboreava seus primeiros momentos de glória, após primorosa atuação diante do Guarani de Campinas. Diante dele, uma repórter de um suplemento de cultura fazia perguntas do tipo perfil do consumidor.

– Prato predileto? – perguntou a repórter:

– Fundo! – respondeu de bate-pronto o Peu.

A moça achou melhor encerrar ali a entrevista...

POBRE ALEIJADINHO

O ANO ERA o de 1987, e o Botafogo enfrentava o Itaperuna, em São Januário. Aos 40 minutos do segundo tempo, o artilheiro Cláudio Adão fazia 1 × 0 e aliviava a torcida.

Vitória garantida? Pois sim: aos 43, o Itaperuna empatava, para desespero geral dos botafoguenses. Já nos acréscimos, porém, o juiz marcou um pênalti a favor do Fogão. E lá foi de novo o Cláudio Adão.

PIMBA! Uma bomba! Longe do alcance do goleiro. Lá na piscina do Vasco...

A galera foi à loucura, e até o conhecido cantor alvinegro Agnaldo Timóteo invadiu o campo para tomar satisfações do Cláudio Adão.

Na arquibancada, a revolta não era menor. Um torcedor, cheio de cana, procurava algo para atirar no campo.

Olhou pra lá, olhou pra cá, descobriu um pobre perneta, que, sentado ao lado de sua perna de pau, a tudo assistia, muito triste, mas sem fazer algazarra.

Num piscar de olhos, o bebum apanhou a muleta do aleijadinho e a varejou no gramado, mirando no Adão.

Seja pelo avançado estado etílico do cidadão, seja pela distância que o separava do alvo, o fato é que a perna de pau, em vez de acertar o artilheiro, foi bater nas costas de um dos PMs que, junto ao alambrado, tentava conter a torcida.

Com a muleta nas mãos e uma expressão de ódio na cara, o policial virou-se para a arquibancada, à procura de seu agressor. Em uma rápida investigação, é claro, descobriu o pobre manquitola.

– Tome a sua muleta de volta e tome também uns cascudos, pra aprender a não fazer bobagem. Na próxima, vai preso! – sentenciou a "otoridade", apesar dos protestos do aleijado, que apanhou, jurando que não tinha sido ele e até apontando o verdadeiro autor da agressão.

O policial, entretanto, nem quis saber. Resultado: quando deu as costas, foi a vez do pé-de-cana dar uns cocorotes no infeliz manco, "pra ele deixar de ser dedo-duro"...

Torcedor sofre!

FIDELIDADE

Nos anos 1970, Claudiomiro, um voluntarioso centroavante do Internacional, que o locutor Geraldo José de Almeida chamava de "tanque colorado", marcou o gol da vitória do Inter, na final, contra o Grêmio.

Ao final da partida, eleito por uma rádio o melhor em campo, recebeu, como prêmio do patrocinador, uma caixa de azulejos para banheiro. Emocionado, Claudiomiro agradeceu, mas fez uma ressalva:

– Muitíssimo obrigado pelos azulejos, mas, pra ser sincero, eu preferia ganhar os "vermelhejos", que são da cor do Inter e combinam melhor com o banheiro lá de casa...

HEIN?

Anos 1980, fim do jogo do Goiás, no Serra Dourada, o artilheiro Bill vai saindo, todo feliz, com os gols que marcara. Um repórter de rádio se aproxima e pergunta:

– E aí, Bill, tudo em cima?

E ele:

– Tudo GG!

– GG? O que quer dizer isso? – estranha o trepidante.

– Joinha, joinha...

ADEUS, AMIGO!

ERA UM DOMINGO ensolarado do verão de 1984. A bola veio alta na entrada da rede e eu saltei para fazer o bloqueio. Já nem me lembro se bloqueei ou não. Sei que, na descida, pisei no pé do cortador adversário (ou ele pisou no meu) e a torção de tornozelo foi brutal – disparada, a maior dor que senti até hoje. Quando parei de rolar na quadra, só ouvi a voz de um parceiro: "Quebrou!" Não tinha quebrado, mas o meu pé esquerdo – imagine! – simplesmente saíra do lugar. Para o meu horror (e de todos os que estavam por perto), mesmo com a perna esticada, eu podia ver a sola virada para cima, como uma espécie exótica de Curupira das quadras.

Dali, ao hospital (em Teresópolis, onde estava), foi uma correria alucinada. Anestesia, redução (recolocaram o pé no lugar), gesso e um enorme medo (por que não dizer, terror!) de ficar aleijado.

Sentia calafrios só de me imaginar manco. Impossibilitado de praticar esportes – uma permanente paixão. E o diagnóstico era assustador: ruptura total dos ligamentos do tornozelo. Solução: cirurgia em 99% dos casos.

– Quero ser tratado pelo melhor! – lembro-me de ter combinado com o meu pai, quando descíamos a serra, de volta ao Rio.

E foi assim que, por indicação de meu fiel escudeiro, Antônio Roberto Arruda, acabei indo parar em Botafogo, no consultório do então médico do Fluminense, o ortopedista Arnaldo Santhiago.

Tranqüilo, firme e objetivo, Arnaldo nem quis discutir a possibilidade da intervenção cirúrgica para costurar os ligamentos:

– Primeiro, vamos ver como o organismo reage.

E foram 45 dias de gesso e muletas, sem encostar o pé no chão. Bastava abaixar a perna e os dedos ficavam roxos, dormentes.

– Nunca mais vou conseguir andar direito! Virei um maldito saci! – lamuriava-me, desesperado. Arnaldo sorria e me pedia calma. E depois do gesso vieram as sessões de fisioterapia, em sua clínica. E entre massagens, infravermelhos e ultra-sons, sempre pintava um bom papo sobre esportes em geral e futebol em particular.

Foi nessa época que pude constatar que Arnaldo Santhiago era uma figura ímpar. Um apaixonado pelo esporte e pela medicina. Um idealista, autêntico *gentleman* dos consultórios e das quatro linhas.

Graças à sua eficiência e à sua dedicação, o tempo até que pareceu passar rápido. Foi com surpresa que, sem fazer cirurgia alguma, recebi, certo dia, a notícia dada por ele mesmo:

– Este final de semana você pode voltar a jogar o seu vôlei. Na praia.

Joguei e nada senti. Mas à tardinha – pavor dos pavores! – o tornozelo inchou como uma bola e o pé ficou arroxeado:

– É assim mesmo, Renato. Fique calmo. Você está clinicamente curado – garantiu-me ele, rindo do meu desespero ao telefone.

Estava mesmo. O inchaço foi diminuindo jogo após jogo, e um ano depois eu já nem me lembrava direito de qual dos tornozelos fora tão brutalmente atingido.

A partir desse dia, minha confiança em Arnaldo Santhiago passou a ser tamanha que até mesmo em casos que nada tinham a ver com ortopedia (sua especialidade) eu acabava recorrendo a ele.

Lembro-me de certa noite negra, em que bebi muito mais do que o recomendável e acabei metido em uma discussão que virou briga. Resultado: um soco mal dado por mim explodiu numa vidraça, provocando enorme corte no meu próprio pulso e um interminável esguicho de sangue para todos os lados.

– Você estava zangado mesmo, hein? – provocou-me Arnaldo, algumas horas mais tarde, quando o procurei para, pacientemente, costurar o estrago que a minha própria estupidez causara.

Na saída, além da receita de remédios, para ajudar a cicatrização, recebi uma bela bronca, mais do que justa. Digna de pai preocupado com o filho.

Das duas histórias restaram uma pequena cicatriz no pulso e um misto de grande amizade e admiração, pelo médico e pelo esportista, que, nem mesmo quando se transformou em cartola, se deixou contaminar pela cretinice e pela desonestidade que, infelizmente, campeiam entre muitos dirigentes.

Arnaldo Santhiago nunca fez parte desta corja. Ele era, acima de tudo, um homem íntegro – e limpo. Um genuíno campeão, como atleta (de basquete), como médico (inclusive da seleção brasileira) e como dirigente (presidente do Fluminense no último título carioca, em 1995).

Embora pouco tenhamos nos visto nos últimos anos, lembro-me com carinho de duas longas conversas (uma no Marina, outra no Marapendi, sempre à beira de quadras de tênis).

Recordo também o convite que me fez, há menos de um mês (na última vez que nos falamos, pelo telefone), para participar de um importante seminário que ele mesmo organizava sobre medicina esportiva, evento ao qual, infelizmente, não pude comparecer, por força de outros compromissos.

Na ocasião, chegamos a combinar que não esqueceríamos as raquetes na nossa bagagem para as Olimpíadas, onde ele chefiaria o departamento médico do COB.

Um enfarte fulminante, num jogo de basquete, na terça passada, no Caiçaras, me roubou, de uma só vez, o médico, o amigo e o parceiro de tênis em Sydney. O esporte brasileiro, porém, perdeu muito mais. Perdeu um dos seus melhores, mais apaixonados e dignos representantes.

Final de 1995, Flu campeão, com um gol de barriga de Renato, no finalzinho. Saindo do estádio, Arnaldo Santhiago desabafa:

– Não enfartei hoje, não morro mais do coração!

Foi o único diagnóstico errado que soube do doutor Arnaldo. Infelizmente, a vítima foi ele mesmo.

ANATOMIA E APELIDO

Esta ocorreu em Petrópolis, na década de 1980, quando a equipe do Fluminense de Cláudio Adão, Zezé, Edinho & Cia. veio disputar um jogo contra o Serrano, no Estádio Atílio Marotti. O Flu venceu sem grandes problemas.

Na saída, um repórter da *Tribuna de Petrópolis*, acompanhado por um grupo de amigos, resolveu ir até os fundos dos vestiários – que dão para a rua –, onde levantaram as meninas, nos ombros, para que elas pudessem ver os craques pelo basculante.

Foi aí que o repórter pediu que elas chamassem o Pintinho (Carlos Alberto Pintinho, cabeça-de-área dos bons), pois ele queria entrevistá-lo. Pedido feito, pedido atendido, com rapidez e precisão. Ao final, uma curiosidade: como as garotas, que não entendiam absolutamente nada de futebol, conseguiram reconhecer, de primeira, o jogador em meio a tantos outros, no vestiário? A resposta foi cirúrgica:

– Pelo apelido, ué...

UM FÃ PRA LÁ DE ESPECIAL

Hall de um hotel cinco estrelas na Suíça, Pelé aguardava Hélio Viana, então seu sócio. De repente, recebe um animado aceno de um homem de meia-idade. Educadamente, o Rei respondeu o cumprimento. No íntimo, porém, ficou intrigado. "De onde eu conheço o cara? Será brasileiro, paulista, carioca ou é europeu?"

Hélio Viana surge no *hall*, e Pelé lhe pergunta:

– Você sabe quem é?

Hélio olhou, olhou...

– Pô, Pelé, ele é nosso conhecido, sim. Mas não lembro o nome nem como o conhecemos. Vamos esperar a Leila (Schuster, mulher do empresário). Ela tem boa memória.

Leila aparece e, apontando o tal estranho, vai logo dizendo, toda animada:

– Viram quem está ali? Meu ídolo, Robert De Niro!

JUIZ DO CANGAÇO

VICTOR KINGMA, um de meus fornecedores de "causos" do futebol, reaparece com mais uma de suas pérolas:

"Invicta há muitos anos, a equipe formada pelos jagunços bons de bola (e de peixeira) era o orgulho do agreste e de seu temido presidente cangaceiro, figura lendária do Nordeste.

Nenhum time conseguia (ou ousava) derrotá-la. Afinal, os métodos empregados nem sempre eram dos mais esportivos. Muitas vezes a peixeira substituía a bola, e o que não faltavam eram artifícios para intimidar adversários e juízes.

Já velho e sem enxergar direito, o patrono do time não ia mais aos jogos. Ficava na fazenda, esperando a rapaziada para o churrasco de comemoração. Terminada a partida, o foguetório na volta anunciava nova vitória. Era a rotina e se tornara folclore no local.Naquele domingo, contudo, o silêncio dominava o povoado e ninguém ouvia os gritos de euforia e o barulho dos foguetes. Cabisbaixos, os atletas e o técnico iam se aproximando da fazenda, tendo à frente o "Capitão Carranca", um misto de zagueiro e cangaceiro, conhecido na região não pela habilidade com a bola, mas com a peixeira e pela voracidade com que ia nas canelas adversárias. Na varanda, nervoso, o velho cangaceiro ansiava por explicações.

– Perdemos, chefe – desabafou, o truculento zagueiro. – Com aquele juiz não tinha jeito.

– E que juiz ousou nos desafiar? Traga-o aqui!

– Deixa pra lá, chefe...

– QUEM ERA O JUIZ?

– LAMPIÃO, chefe...

O velho cartola do cangaço coçou o cavanhaque, tirou o chapéu de couro e concluiu:

– Cabra macho de verdade tem que saber a hora certa de perder. Vamos ao churrasco.

DIVINA CARTA

Domingos da Guia, o Divino Mestre, um dos maiores zagueiros de todos os tempos, morreu deixando uma série de histórias de seu futebol brilhante e do seu jeito moleque.

Ele adorava brincar com os companheiros, e uma de suas travessuras mais famosas aconteceu na viagem da seleção para a Copa do Mundo de 1938, na França. Viagem de navio, claro.

Assim como quem não quer nada, Domingos disse para o ingênuo Argemiro (apoiador da Portuguesa Santista) que, às 21 horas, do convés, seria possível ver a linha do equador.

O companheiro ficou empolgadíssimo e plantou-se junto a uma das balaustradas, esperando para ver a famosa linha. Deu 21 horas e nada. Argemiro foi atrás de Domingos e cobrou:

– Poxa, Domingos, cadê a linha?

E o Domingos, na maior cara-de-pau:

– Olha lá, olha lá! Rápido! – e apontou para o belo reflexo da lua cheia sobre o mar, jurando que aquilo era a linha do equador.

Emocionado, Argemiro agradeceu e foi correndo escrever para a família, para descrever a famosa e bela linha do equador...

Essa carta deve ter sido pra lá de hilária!

TUDO IGUAL

Jogavam Atlético e Fluminense, no Mineirão. Era um triangular, patrocinado pelo Galo (disputava ainda um time argentino, não me lembro qual). O técnico do Flu era Evaristo Macedo que, apesar de ter à sua disposição quase duzentos quilos de centroavantes – Ademar "Pantera" e Dario "Leopardo", ambos vindos do Palmeiras –, inventou o Quadrado Mágico. Nada mais do que dois pontas abertos, Wilton e Lula, e quatro "armandinhos" no meio de campo: Denílson, Jardel, Didi e Joaquinzinho. Metade do segundo tempo, 2 a 0 para o Atlético, Lacy (que a torcida do Galo, em certa época, chegou ao cúmulo de eleger o substituto de Pelé) ia acabando com o jogo. Evaristo, já desesperado, olha para trás e diz:

– Entra um dos crioulos!

– Qual dos dois? – pergunta o preparador físico.

– Qualquer um, é tudo a mesma m.....!

Final: Atlético 2 × 0 Flu.

VALE O COMBINADO

Esta é dos anos 1950. O Vasco iria jogar contra o Canto do Rio e um dirigente cruzmaltino procurou o goleiro adversário, disposto a pagar por um "frango". Acertaram a quantia e a forma de pagamento: metade no ato e metade após o jogo.

Começou a partida e o goleirão tratou de fazer a sua parte: sofreu logo um gol num frangaço espetacular. A partir daí, entretanto, o vendido resolveu fechar a meta, tornando-se o melhor jogador em campo.

Aos 30 minutos do segundo tempo, coisa que ninguém esperava, o Canto do Rio empatou. Aos 42, uma esperança: pênalti a favor do Vasco.

O encarregado da cobrança foi Ademir Menezes, o infalível Queixada. Ele disparou uma bomba medonha, mas, para espanto geral, o goleiro defendeu e garantiu o empate.

No dia seguinte, nosso herói foi a São Januário cobrar a dívida. E o cartola, quando o viu, espumou de raiva:

– Você ainda tem a cara-de-pau de aparecer? Defendeu um pênalti e vem me cobrar?

– Ué, doutor, o senhor me pagou para tomar um frango e isso eu fiz...

Acabou recebendo.

DESCOBERTA

Na festa do título, o artilheiro chegou a caráter, foi diretamente do vestiário para a recepção, no clube, ainda de uniforme e chuteiras. Uma mocinha, deslumbrada, lhe pergunta:

– Você é um jogador de verdade?

E o nosso craque responde, com bom humor:

– Bem, passei minha vida toda jogando bola, fazendo gols, colecionando títulos... Acho que eu sou mesmo um jogador!

Em seguida, já interessado, ele pergunta o que ela é. E a resposta, surpreendente, é uma ducha fria nos seus planos:

– Sou sapatão. Assim que acordo, penso em mulher. Quando como, tomo banho, vejo TV, qualquer coisa que eu faça me faz pensar em mulher...

Pouco depois, ela vai embora e outra moça olha para o ainda estupefato goleador e pergunta:

– Você não é jogador?

E ele:

– Eu sempre pensei que fosse. Mas acabo de descobrir que sou sapatão...

LONGE DO COADOR

Conhecido pela veemência com que criticava as arbitragens e os cartolas, o ex-juiz e comentarista Mário Vianna recebeu, certo dia, a visita de alguns árbitros, que foram lhe contar que estavam sendo coagidos pelos dirigentes.

Mário Vianna resolveu comentar o episódio no ar e, no intervalo da transmissão de um jogo, pigarreou forte e soltou a pérola:

– Alguns árbitros me revelaram que estão sendo pressionados, coagidos pelos dirigentes. É uma vergonha! Mas não tenho medo de revelar esse triste episódio, porque a mim, a mim, repito, ninguém "coa" não! Mário Vianna, seus salafrários, é "incoável"!!!!

DOUTOR ROBERTO

ESTA HISTÓRIA começa numa madrugada perdida no tempo – muito tempo. O ano era o de 1980 e o mês e o dia já nem lembro – nem são mais importantes. Na velha redação de *O Globo*, àquela hora praticamente vazia, o movimento se resumia à secretaria noturna e à editoria de esportes, que preparava a segunda edição, atualizando os resultados da rodada do futebol no meio da semana.

O motorista do doutor Roberto surgiu do nada e foi direto ao assunto:

– Quem é o Renato? – perguntou no esporte.

– É um repórter novo. Mas a essa hora já foi – responderam.

– Pobre coitado! Vai ser demitido amanhã – disparou o chofer.

A presunção da sentença vinha da conversa que o motorista ouvira horas antes, na Hípica. Lá, o vice-presidente médico de um clube do Rio e o ortopedista do seu time de futebol tinham aproveitado um jantar para fazer a minha caveira com o presidente das Organizações Globo.

Explica-se: como repórter de esportes, eu acabara de escrever várias reportagens que mostravam a crise que o clube atravessava.

A série relatava um sem-número de desmandos e culminava com uma denúncia-bomba: a de que o preparador físico (e dublê de delegado com fama de pertencer ao Esquadrão da Morte) ameaçara "sumir" com os jogadores que o andavam criticando.

A ameaça acontecera em uma preleção antes de um jogo da Libertadores no exterior e me fora contada por diversos atletas.

O relato da tal conversa no jantar na Hípica e a previsão de minha demissão tocaram fogo no plantão.

Armando "Betoneira" Calvano, velho companheiro de reportagem (e o primeiro a ouvir a história do motorista), queria ligar de madrugada pra mim. O bravo Antônio Roberto Arruda (meu fiel escudeiro) o impediu:

– Melhor ligar primeiro pro Temer – aconselhou.

Milton Temer era o editor de esportes. E graças ao sensato Arruda, foi ele, coitado, quem perdeu aquela noite de sono, não eu.

No dia seguinte, quando cheguei à redação e soube da confusão,

Temer já estava lá, trancado na sala do Evandro Carlos de Andrade, o diretor da redação.

Neste meio-tempo, me encontrei com o Cláudio Mello e Souza, então colunista de esportes e um grande amigo. Imediatamente, Cláudio se prontificou a telefonar para o tal vice-presidente, a quem conhecia pessoalmente.

Além de exigir uma explicação, cobrou, na conversa, que o médico-cartola voltasse a falar com Roberto Marinho, para salvar o meu emprego.

Não foi necessário. Logo depois, Milton Temer sai da sala do Evandro sorrindo e me conta, aliviado:

– Pelo visto, o doutor Roberto não deu ouvidos a nada do que lhe disseram a seu respeito. O Evandro me disse que despachou com ele mais de uma hora esta manhã e ele estava de ótimo humor. Falaram de diversos assuntos do jornal, de amenidades etc., e o seu nome nem surgiu na pauta.

Alguns anos depois, quando me tornei editor e passei a conviver mais de perto com o próprio Evandro, voltei a tocar neste assunto. E ele, morrendo de rir, colocou a mão no meu ombro e resumiu bem a postura de Roberto Marinho em relação aos seus jornalistas:

– Ora, Renato, se o doutor Roberto nunca se curvou à pressão dos militares para demitir os muitos jornalistas comunistas que aqui trabalhavam na época braba da ditadura, você acha que ia ser com um repórter iniciante de esporte que ele ia mudar de postura? Vê se te enxerga!

Acabei rindo também. Mas o que eu já tinha enxergado, com clareza, era que o "nosso companheiro" era de fato (e acima de tudo) um grande jornalista.

Era um repórter de faro atilado, que sabia, como poucos, discernir o que era notícia. Sabia também se cercar de gente extremamente competente para montar, com sucesso, o império jornalístico que agora é o seu maior legado.

Muitos anos mais tarde, já dirigindo o *Extra*, fui chamado por João Roberto Marinho, o seu filho que exercia a vice-presidência da empresa, para ser apresentado ao doutor Roberto como o diretor do novo jornal da família, que acabara de ser lançado.

– João, eu já conheço o seu pai – adverti.

– Tudo bem, Renato, mas é apenas uma formalidade – respondeu, com a educação de sempre, João Roberto.

Tão logo entrei na sala, Roberto Marinho abriu um sorriso largo e disse:

– Esse eu já conheço da redação do *Globo*!

No agradável papo que se seguiu, me deu uma autêntica lição sobre a importância fundamental da circulação nos jornais:

– Um bom jornal vende muito. Se não vender muito, não é bom. E se não for bom, não atrai anunciantes – resumiu numa lógica simples e irretocável.

Seguindo o desejo de Roberto Marinho, o *Extra*, desde o primeiro número, vendeu muito. E desde o seu terceiro ano de vida pode se orgulhar de ser o jornal mais lido do país.

◆

Doutor Roberto gostava de telefonar para a redação para saber das últimas notícias. Reza a lenda que certa noite atendeu-o um velho redator ranzinza:

– Por favor, eu queria saber os resultados do futebol – teria perguntado, sem se identificar.

– Ô meu amigo, nós aqui estamos trabalhando e o horário está apertado! Compra o jornal amanhã...

Diante da insistência, o resmungão perguntou:

– Com quem eu estou falando, hein?

E veio a revelação:

– Roberto Marinho.

Rápido silêncio e o copidesque, emenda, insolente:

– E o senhor? Sabe com quem está falando?

– Não...

– GRAÇAS A DEUS! – e bateu o telefone...

O próprio doutor Roberto depois contava a história. Às gargalhadas.

DE ONDE?

Final dos anos 1940, num jogo que já não valia muito para o campeonato, Botafogo e Fluminense se enfrentavam, em São Januário.

Um jogador tricolor, que corria muito e jogava pouco (Esquerdinha, Canhotinho ou coisa parecida), pegou a bola e disparou pela ponta esquerda. E um torcedor começou a gritar:

– Vai fulano... vai fulano... vai fulano!

E o tal saiu com bola e tudo pela linha de fundo. E um coro completou:

– Vai pra...

ERRROOOOUUUU!

Entre os vários jargões lançados pelo pioneiro comentarista de arbitragem Mário Vianna, um dos mais famosos era o "ERRRROOOOUUU!", que ele urrava, na cabine, sempre que considerava que o árbitro se equivocara.

Certo dia, indagado no ar sobre como conseguia produzir aquele som tão vibrante (quase ensurdecedor), Mário Vianna (com dois enes!) bateu na garganta e respondeu:

– O som sai daqui. Do meu tímpano!

ARTISTA VAIDOSO

DÉCADA DE 1950, jogo no interior de Minas, final do campeonato da região. Diante da imensa mobilização da torcida, a rádio local anuncia a novidade: haverá transmissão ao vivo:

– Igualzinho nos campeonatos do Rio e de São Paulo! – alardeiam os locutores.

No meio-campo do time da casa jogava o craque da região: Silvinho, apoiador sestroso, cheio de ginga, autêntico malabarista da bola. Silvinho, porém, tinha um defeito: era mascarado como ele só.

Começa a partida – e a histórica transmissão –, e, com poucos minutos, pode-se perceber uma novidade tática na equipe local. Todas as vezes que recebia um passe, Silvinho dominava e, em vez de fazer um de seus milimétricos lançamentos em profundidade, saía em disparada, rumo à ponta esquerda. Lá chegando, driblava, driblava, mas não evoluía. E acabava perdendo a bola e a oportunidade de armar um bom ataque.

No intervalo do primeiro para o segundo tempo, intrigado e irritado com aquilo, o técnico Zé Bocão chamou Silvinho num canto do vestiário:

– Mas que diabos você está fazendo na ponta esquerda? Por que prende tanto a bola?
E o Silvinho, ajeitando o topete engomado:
– Sabe o que é, professor? Ali do lado do alambrado dá pra escutar o radinho de pilha dos torcedores. Ah, como é bom ouvir "lá vai Silvinho, o craque da casa, dribla um, mais um. É um artista!" Aquilo é como música para os meus ouvidos!

NILTON × HELENO

Essa, Nílton Santos contou para o meu fiel escudeiro, Antônio Roberto Arruda. Revela a "enciclopédia do futebol" que, chegando ao Botafogo, em 1948, só ficou porque Heleno de Freitas (a grande estrela da equipe) foi vendido para o Boca Juniors antes de começar a temporada:
– Num dos meus primeiros treinos, recebi a bola e, ao tentar atrasar para o goleiro reserva, Ari, vi que o Heleno poderia pegá-la. Dei meia-volta e saí jogando. Sem mais nem menos, Heleno me xingou. E eu que nunca fui de levar desaforo para casa, explodi: "Não é à toa que te chamam de Gilda, você é um tremendo veadão metido a macho!"
Para surpresa de todos que acompanhavam o treino, Heleno não reagiu e no dia seguinte levou uma carteira de cromo para Nílton Santos, que recusou o presente.
Nílton garante que, mais cedo ou mais tarde, os dois acabariam saindo no braço em treino ou mesmo em um jogo. E arrematou com mais uma história do Heleno:
– Veja só como ele era mau-caráter. O Braguinha (ponta-esquerda daquele time) bateu um lateral errado num coletivo e Heleno reclamou, aos berros: "Assim não dá, você não acerta nem com as mãos!
Geniozinho difícil, hein?

O FINO DO TÊNIS

ELE FEZ DA GARRA a sua marca e da obstinação a sua grande arma. Nasceu argentino, mas, por paixão, se naturalizou brasileiro. E no domingo, após 2h45min de uma batalha épica (salvando cinco *match points* diante do chileno Marcelo Ríos), encerrou a carreira com uma medalha de ouro histórica e emblemática. Fernando Meligeni pára em seu momento de maior glória. Valeu, Fininho!

Eterno coadjuvante num país que se apaixonou pelo tênis em 1997 (quando Guga ganhou o primeiro dos seus três títulos de Roland Garros), Meligeni, que já estava na estrada havia algum tempo, soube encontrar o seu espaço na mídia e no coração da torcida, graças à raça inesgotável e ao bom humor permanente.

Vê-lo em ação era sempre um espetáculo à parte. Para ele parecia não haver ponto perdido. Corria de um lado ao outro da quadra com a desenvoltura de um coelho de desenho animado.

Se nunca chegou a um título de Grand Slam, foi memorável a sua campanha em 1999, em Roland Garros, quando caiu na semifinal, ao perder de Medvedev, depois de bater jogadores como Mantilla e Rafter.

Inesquecível também foi sua vitória sobre o eslovaco Kucera, pela Copa Davis, no Rio. Quando, no jogo anterior, Gustavo Kuerten foi derrotado por Hrbaty e a série ficou empatada em 2 a 2, a maioria do público no Marapendi se levantou e, desiludida, foi embora.

Os incrédulos perderam um jogo de antologia. Fininho venceu em cinco dramáticos sets e garantiu a classificação do Brasil.

Alguns puristas viram na final do Pan um jogo de erros, não de acertos. De fato, foi. Mas foi, acima de tudo, uma partida heróica, disputada sob um tórrido calor de mais de 40 graus e enorme pressão emocional.

Meligeni esteve simplesmente fantástico. E conseguiu o que tanto queria: ser saudado como brasileiro de fato e de direito. Nada o incomodava mais que ler nos jornais "o argentino naturalizado brasileiro..."

Santo Domingo o inscreve, de uma vez por todas, no rol dos nossos campeões. Para sua felicidade, os arquivos da competição revelarão, para sempre, que o ouro do tênis masculino, em 2003, foi de Fernando Meligeni – do Brasil!

Inconformado, Ríos reclamou, após o jogo:

– A torcida brasileira não sabe se comportar em uma quadra de tênis. Isso aqui não é futebol!

Até parece que ele sabe. Durante a carreira, Ríos acumulou grosserias e atitudes inconvenientes nas quadras. Campeão *hors-concours* do Troféu Limão em Roland Garros (dado ao tenista mais antipático), o "Chino" não deixará saudades. Já vai tarde...

DESEJO MÚTUO

Início da década de 1980, jogavam Fluminense e América, no simpático e saudoso estádio de Vila Isabel. Com os dois times vivendo momentos difíceis no Estadual, o jogo transcorria sem brilho e a bola ia sendo maltratada em campo, pelos dois lados. Foi quando, já impaciente, a torcida do Flu começa a reclamar, gritando em coro:

– Queremos time, queremos time, queremos time!

E a torcida rubra, igualmente insatisfeita, rebate na hora, com o seu bem-humorado grito de protesto:

– Também queremos! Também queremos!!!

DONO DA BOLA

O técnico tricolor, Valdir Espinosa, é outro bom contador de casos. Em um intervalo do último "Bem, Amigos", ele lembrou-se de um diálogo seu com o holandês Johan Cruyff:

– Eu dirigia o Grêmio e tínhamos acabado de derrotar o Ajax, treinado por Cruyff, num amistoso no Marrocos. Quando me encontrei com ele, nos vestiários, não resisti a uma gozação. Perguntei-lhe, como quem não quer nada: "E aí, o que você achou do nosso número 7? Desmontou o seu time, hein?" E o comandante da "Laranja Mecânica" da Copa de 74, sem perder a pose: "O meu e o seu também. Precisa dar uma bola só pra ele, porque senão ninguém mais joga..."

O sete em questão era Renato Gaúcho, em esfuziante início de carreira.

LE ROI D'ARAQUE

MEU AMIGO E ATUAL companheiro do Sportv, Teixeira Heizer, participou de uma deliciosa história narrada no livro *Esses repórteres*, de Luiz Amaral. Divirta-se:

A seleção brasileira, bicampeã do mundo, excursionava pela Europa. Em Paris, os jornalistas Teixeira Heizer (*O Estado de S. Paulo*), Achilles Chirol (*Correio da Manhã*), Ruy Porto (*O Globo*), Valdir Amaral (Rádio Globo) e Orlando Baptista (Rádio Mauá) decidem ver o *show* do famosíssimo Lido. Teixeira Heizer e Chirol foram escalados para fazer a reserva da mesa.

Vão ao cabaré e são recebidos pelo gerente, Monsieur Crochet, que os dois insistem em chamar de Monsieur Tricot – uma troca de ponto, digo, de nome, que já deixa Monsieur Crochet de má vontade. Em todo o caso, ele mostra a disposição das mesas, sugere esta ou aquela, mas quando é informado de que a reserva é para aquela mesma noite, diz que todas já estão ocupadas. Teixeira faz cara de triste, vira para Achilles e comenta em seu francês de Aliança:

– *Et mon roi, qu'est-ce qu' il va dire?*

A simples citação da palavra *roi* desperta Monsieur Crochet, fazendo dançar em sua cabeça uma noitada de turistas milionários com uma enxurrada de dólares.

– *Quel roi?*

Teixeira nota a mudança e encaixa o improviso.

– *Le roi d'Araque*... Nós somos da comitiva dele.

Crochet confunde Araque com Iraque e dá uma guinada de 180 graus:

– Bem, já que é assim, vamos ver uma mesa especial junto à pista. Tudo é possível com boa vontade.

Teixeira e Achilles saem às gargalhadas. No hotel, encontram Orlando Baptista e Ruy Porto:

– Bem, Orlando, você vai ao Lido, mas tem que ir a caráter: terno marrom, cachecol vermelho, meias pretas, sapatos de duas cores, chapéu de palha, o que quiser. Nós somos os seus acólitos e lhe prestaremos as honras de estilo. Você é "le roi d'Araque". – E aos gritos: – *Vive le roi d'Araque!*

Chega a noite e é enorme a expectativa entre artistas e funcionários do Lido. O tempo passa e nada da comitiva. Não seja por isso, atrasa-se o espetáculo. De repente, pára um táxi e descem os araquianos. Recepção real. O grupo é acomodado *comme il faut* na melhor mesa do mais badalado cabaré do mundo.

Começa o *show*. Os artistas fazem seus números e não perdem de vista o rei e sua *entourage*. As plumas das coristas chegam a roçar os membros da comitiva. A vedete principal ensaia um beijo em Sua Majestade, que, benevolente, o aceita. Alegria geral. Os garçons sorriem, pensando na gorjeta do final da noite.

A comédia continua quando é servido o uísque. Antes que Orlando Baptista, *le roi d' Araque*, comece a tomá-lo, os quatro súditos se antecipam e fazem a prova com colheres de prata (levadas do hotel), pois todo cuidado é pouco com a vida do rei, nunca se pode afastar a hipótese de uma tentativa de envenenamento. Na hora da ceia e do vinho, a mesma operação.

Alta madrugada, termina a divertida farra e chega a conta. E os milhares de francos da despesa trazem a animada trupe araquiana à realidade. Calafrio geral. Nenhum tem esse dinheiro todo no bolso. O jeito é a famosa vaquinha... Começa o troca-troca.

Os empregados do cabaré não acreditam no que estão vendo. É um tal da turma se coçar que não acaba mais. Um tira daqui, outro puxa dali, bota mais cem, não tenho, cinqüenta serve, dou lá no hotel. Uma zona total. Finalmente os quatro colocam um monte de notas amarfanhadas em cima da mesa. Com um desprezo de matar, o garçom conta as notas e sai.

Mil olhares acompanham os movimentos finais da comitiva de Araque. Agora, é bater em retirada o mais rápido possível. E começa o jogo de empurra:

– Vá você primeiro... Não, vá você que eu acompanho... Por aqui... Não, por ali é melhor... Opa, conseguimos, até que enfim! Que vexame... Mas valeu!

OS PARENTES DA VÍTIMA

O ex-zagueiro do Bangu e do Guarani Paulo Silva e o volante Marcão (que joga atualmente no Fluminense) estavam indo treinar em Moça Bonita quando foram obrigados a parar num engarrafamento, numa das quentíssimas ruas de Bangu. Marcão resolve descer para checar o que estava ocorrendo e vê uma multidão em volta de alguma coisa deitada no chão.

– Acho que é um atropelamento. Vamos conferir – convida Marcão.

Já no meio do aglomerado, a multidão não lhes permite se aproximarem o suficiente. Já impaciente, o cabeça-de-área brada:

– Abre!!! Abre porque eu sou parente da vítima!!!

As pessoas saem e os "espertos" atletas chegam perto e descobrem que a "vítima" (que seria parente do vigoroso volante) tratava-se de... um cavalo atropelado! Saíram de fininho, em meio a gargalhadas!

VIRADA

Jogavam Santos e União São João, no domingo passado, e o time da Vila já ia ganhando por 7 a 2. À beira do gramado, Arnaldo Lira, técnico do União São João, se esgoelava:

– Dá no João, dá no João, dá no João!

Uma bola é enfim esticada para João Paulo, ele dribla o goleiro Doni e marca:

– Não falei? Não falei? Vamos virar!

Acabou 8 a 3 pro Santos.

QUE NOME!

Década de 1970, o locutor do interior narrava um jogo do Atlético-MG, quando o técnico substituiu o goleiro uruguaio Mazurkiewicz:

– E atenção: no Galo, sai Maz... Mazuqui... Ma...zurkavi... Ó sô, quer saber? Sai esse "fidaputa" aí e entra o Tonho!

MISTER M

No início do ano 2000, surgiu na torcida do Vasco um Mister M *fake* que, aproveitando a fama do mágico que aparecia todos os domingos no *Fan-*

tástico, popularizou-se rapidamente a partir de uma reportagem feita pelo repórter Régis Rosing, da Rede Globo.

Encantado com a paixão do humilde rapaz pelo Vasco – era vendedor de pastel, em Inhaúma –, o ex-deputado (então ainda com mandato) arrumou-lhe um empreguinho no clube.

Só que, pouco tempo depois, Régis fez nova matéria, desta vez sobre a maldição do vice que, naquela época, parecia assolar o clube da colina. E, entrevistado, o "senhor de todos os sortilégios" fez uma graçola:

– Nem o Mister M pode explicar isso!

Resultado: de Brasília Eurico telefonou e mandou demitir sumariamente o torcedor mascarado, que acabou, aos prantos, na porta do clube.

Por essa você não esperava, hein, Mister M?

VAI ENCARAR?

O CAMPO DO Manufatura era da Klabin. Lá se promovia um campeonato anual com sete times: seis da fábrica de azulejos e um da de papelão ondulado. A história de Juca Trator aconteceu, porém, numa pelada de futebol de salão, que se realizava às quintas-feiras, na quadra ao lado.

O jogo era organizado pelo chefe do serviço médico, irmão do diretor geral da fábrica de papelão. Ele escolhia o seu time e o juiz. Resultado: o doutor ganhava sempre. Na bola ou no grito, pois os juízes marcavam o que ele queria. A coisa chegou a um ponto que ele nem conseguia mais adversários. O que fazer? Sugeriram, então, que arrumasse, ao menos, um árbitro imparcial. Quem? Juca Trator! Um contramestre competente da fábrica de papelão e que até o diretor geral respeitava – o apelido dá uma idéia do seu porte físico.

A notícia de que o Trator apitaria a pelada do doutor correu rapidamente. E todos foram ver, não o jogo, mas o embate entre o dono da bola e o juiz. Na primeira marcação contra o time do médico este ameaçou reclamar. Juca deu somente uma olhada na sua direção e, sem dizer palavra, com o dedo apontado, confirmou a falta.

O outro time fez 1 a 0 e a torcida já comemorava. Porém, no finalzinho, o doutor recebe a bola e, de longe, enfia o pé: golaço! Seria o empate, mas Juca, imperturbável, anula o tento.

– Por quê? – pergunta o doutor, irado.

– Foi dentro da área – diz Juca.

Naquela época, gol de dentro da área não valia no futebol de salão.

– Mas foi bem distante da área – insistiu o doutor. – Eu vi. Mas o senhor não merece fazer um gol destes, portanto, está anulado – decidiu, já com a cara feia. Algum "pobrema", doutor?

E foi assim que o time do "dono da bola" perdeu pela primeira vez. E Juca Trator, por aclamação, tornou-se o juiz oficial, salvando as peladas das quintas-feiras.

COISA DE TV

Romário foi aconselhado por amigos a não despejar uma tia que morava em um de seus imóveis, "para não comprometer a sua imagem". De bate-pronto, o Baixinho rechaçou o conselho:

– Quem tem que ter boa imagem é televisão...

O AUTOR!

Pérola pescada, no lançamento do livro *Anatomia de uma derrota*, que Paulo Perdigão escreveu sobre a Copa de 1950. No saguão onde se realizava a noite de autógrafos, o técnico da seleção brasileira Flávio Costa estava ao lado do escritor quando uma senhora grã-fina o abordou, pedindo uma "dedicatória especial":

– O senhor é o autor do livro, não é? – quis confirmar ela.

E o Flávio, imperturbável:

– Não, minha senhora. Sou o autor da derrota...

SENNA *FOREVER*

VÊ-LO AO VOLANTE era sempre emocionante e surpeendente. Gênio absoluto, unia, ao guiar, a fúria do miúra e a maestria de *El Cordobés*. Ninguém, como ele, conseguiu encarnar tão perfeitamente a síntese da Fórmula 1: frio e calculista, no planejamento estratégico das corridas, do campeonato e da própria carreira; voluntarioso, espetacular e empolgante, no desenrolar de cada treino, cada prova, cada curva do circuito.

Ayrton Senna da Silva foi, para mim (e para muita gente boa em todo o mundo), o maior piloto de todos os tempos. Conheci-o pessoalmente no já longínquo ano de 1987, quando, como correspondente de *O Globo*, acompanhei todo aquele campeonato, que acabaria coroado com o tri de Nelson Piquet.

Tivemos alguns atritos (ele ficou furioso quando publiquei, em absoluta primeira mão, a entrevista em que confirmava sua ida para a McLaren – modéstia à parte, um furo mundial!), mas vivemos também boas e divertidas histórias, como o autêntico "*demolition-car*" que ele e Galvão Bueno promoveram certa noite, no México, ao volante de dois carros de aluguel, nos quais, como indefesos passageiros, viajávamos Reginaldo Leme, Wagner Gonzalez, Gilberto Conde e eu. Quase morremos de susto – e de rir.

Tive o prazer de jogar tênis, vôlei e futebol com Ayrton, em Báli (onde, no time dos brasileiros, disputamos até um hilariante jogo de *water polo*, contra o "Resto do Mundo").

Mas meu maior prazer era mesmo vê-lo pilotar aquela Lotus amarela, apesar do poderoso motor Honda, uma tremenda carroça que ele, no braço, conseguia transformar num obstáculo praticamente intransponível na pista.

Faz parte da antologia da Fórmula 1 o GP da Espanha daquele ano, quando ele segurou, por mais de 30 voltas, uma fila indiana formada por Alain Prost, Stephan Johansson, Thierry Boutsen, Michele Alboreto e Gherard Berger, todos com carros muito mais velozes do que ele.

Senna era um *show* à parte. Sua primeira vitória no GP do Brasil, em 1991, foi inesquecível: guiando uma McLaren que nas últimas voltas ficou apenas com a sexta marcha e tinha os pneus completamente desgastados (por causa dos problemas, ele não podia mais parar nos boxes para trocá-los), Ayrton conseguiu – uma vez mais, no braço – manter-se à frente da veloz Williams de Riccardo Patrese, recebendo a bandeirada praticamente sem forças. Quase desmaiou no *cockpit* e, já no pódio, depauperado, mal conseguia erguer o tão cobiçado troféu.

Por que relembro isso tudo? Ora, amigo, hoje é dia do GP Brasil de Fórmula 1. Dia, portanto, de reverenciar nosso maior gênio das pistas.

◆

Buscando lembranças de Ayrton Senna, navego nas inúmeras páginas em sua homenagem na internet. Numa delas encontro emocionante entrevista que Geneton Moraes Neto (então correspondente de *O Globo* em Londres) fez com Sid Watkins, presidente da Comissão Médica e do Comitê de Especialistas em Segurança da FIA. Nela, Watkins relembra a última conversa que teve com Ayrton, no fatídico final de semana em Ímola:

– Senna chorou no meu ombro. Havia uma tristeza generalizada depois do trágico acidente que resultou na morte de Roland Ratzenberger e, no sábado anterior ao GP, eu lhe disse que seria uma boa idéia se ele não participasse da corrida. Numa conversa a sós com ele, falei que já tinha feito o suficiente. Já era tricampeão mundial. Lembro-me bem de minhas palavras: "Nós sabemos que você é o piloto mais rápido e o mais corajoso. Já não precisa provar nada ao mundo."

Como de hábito, sempre que lhe colocavam diante de uma questão difícil, Senna não respondeu logo:

– Antes da prova, entretanto, Ayrton olhou por cima do meu ombro, como se estivesse mirando o infinito. Não estava olhando para mim, nem para nada. Então, se virou e disse: "Sid, há coisas sobre as quais nós não temos escolha. Eu tenho que ir adiante."

Grande amigo pessoal de Senna, Watkins conta ainda que, embora seja agnóstico, teve a certeza de que a alma do piloto o deixou na pista, quando era socorrido:

– Ele deu um grande suspiro. Seu rosto estava tranqüilo. Parecia em repouso. Tive ali, no momento em que o socorria, a sensação de que a alma de Senna tinha partido.
E partiam-se, naquele instante, os corações de milhões de fãs em todo o mundo.
Que saudade, campeão!

PÉROLA DA IMPRENSA I

Esta é de *O Globo*, em setembro de 1975:
"Janos Pek, um húngaro de Budapeste, sofrera um acidente de automóvel há 11 anos – e há 11 anos não falava mais. Ainda hospitalizado, sem ter com quem conversar, Janos resolveu ligar o rádio para ouvir uma partida de futebol de seu time, o Honved. De repente, como num milagre, os outros pacientes viram, com espanto, o mudo Janos dar pulos na cama e gritar:
– Pênalti!
Estava curado."

PÉROLA DA IMPRENSA II

Já o *JB* de fevereiro de 1979 noticiava: "O jogador mais infeliz do atual campeonato inglês é o goleiro iugoslavo Petar Barota. Seu clube anda perdendo muito e sua esposa, também iugoslava, tem o hábito de castigá-lo por uma semana inteira com a perda dos seus direitos conjugais toda vez que ele sofre um gol."
Dizem que o pobre ficou o campeonato todo em jejum....

CEGUEIRA FENOMENAL

Há alguns anos, o Voltaço foi jogar contra o São Cristóvão, em Figueira de Melo. O atual prefeito da cidade, Neto, era o presidente do time na época e levava sempre alguns "assessores" aos jogos.
Um diretor do São Cristóvão ofereceu então determinado jogador ao

Voltaço. Um dos assessores, o Imperial, atual chefe da Coordenadoria de Meio Ambiente, foi o encarregado de observar a "promessa". Viu, analisou, coçou a cabeça e deu seu veredicto:

– Não precisamos deste garoto. Em Volta Redonda, temos vários iguais a ele.

Quem era o garoto? Ele mesmo: Ronaldo Luís Lazário de Lima – Ronaldo Fenômeno...

BARBIE DE LUXO

UMA JOVEM MULHER foi à loja de brinquedos comprar um presente pra sua filha, que aniversariava. Chegando lá, pediu à vendedora que a atendeu:

– Eu gostaria de ver aquelas bonecas loiras...

– Claro, por aqui. Esta é a loira Mergulhadora, custa R$ 35,00. Aquela ali é a loira Casa de Campo, sai por R$ 48,00. E aquela lá é a loira Academia. Custa R$ 54,00.

– Qual é a boneca loira mais completa?

– Ah, sem dúvida, a loira Divorciada de Jogador de Futebol. Custa R$ 360,00

– Tudo isso!?! Por quê?

– Porque ela vem com a casa do jogador, o carro do jogador, metade do dinheiro do jogador...

PRESENTÃO

Aeroporto Internacional do Rio, a seleção brasileira de vôlei desembarca, após disputar as finais da Liga Mundial, na Argentina (1999). Tranqüilo, como de hábito, o técnico Radamés Lattari vai empurrando o seu carrinho com as malas, quando, do nada, surge uma fã:

– Radamés! Lindo!

Sem jeito, o treinador esboça um sorriso, que logo se torna amarelo, ao perceber que a moça é seguida por um homenzarrão, com jeito de marido.

– Sossega, mulher! – rosna a fera, tentando conter o furor da esposa.

Qual o quê! Num gesto rápido, a fã entusiasmada se dependura no pescoço do já desesperado Radamés e, pior, desmaia em seus braços de tanta emoção.

– Larga ela, rapaz! – ruge o maridão, tentando livrar-se do abraço da mulher, a esta altura praticamente no colo do técnico. Reina o bafafá no *hall* do aeroporto, quando Rada, com o canto do olho, vislumbra sua família – a mulher Adriana à frente – às gargalhadas, em um canto do saguão.

Era tudo uma pegadinha, com atores contratados pela própria Adriana.

Era um presente de aniversário (42 anos) para o marido.

Que presentão, hein?

MARACANÃ CINQÜENTÃO

DIZEM QUE a primeira vez a gente nunca esquece. Pois eu praticamente esqueci. Lembro-me apenas de que foi no início da década de 1960 e o jogo era um Flamengo e São Paulo – o Fla venceu, se não me engano, por 2 a 0. Recordo, palidamente, que o goleiro rubro-negro chamava-se Fernando e, nesta partida, pegou um pênalti. Jogavam ainda Carlinhos (o técnico de hoje), Nelsinho e Dida. Levado pela mão de meu pai (rubro-negro orgulhoso dos tempos de "Jurandir, Newton e Quirino; Biguá, Bria e Jaime; Tião, Zizinho, Pirilo, Perácio e Vevé"), assisti a esse jogo das antigas cadeiras azuis – aquelas em que mal se podia ver o que se passa no gramado.
A grandeza do estádio e a força da torcida rubro-negra, entretanto, garantiram o espetáculo. E me encantaram desde então.
Da segunda vez, sim, lembro-me um pouco melhor: era a final do Campeonato Carioca de 1963 e lá estava eu, novamente nas cadeiras azuis, novamente com o meu querido e saudoso "velho", a assistir àquele famoso 0 a 0, em que Marcial (o goleiro rubro-negro) fechou o gol e Escurinho (o ponta-esquerda tricolor) chutou o título do Flu por cima do travessão, juntamente com a bola que lhe sobrara, cara a cara, nos últimos minutos da decisão.
Dessa minha época, de torcedor iniciante, recordo ainda dois jogos impressionantes da seleção brasileira. Um no qual Gérson quebrou propositalmente a perna de um desleal peruano (De la Torre). O lance ocorreu bem em frente de onde eu estava (agora, sim, já na arquibancada). Deu pra ouvir o barulho do osso estalando – e o pau quebrou em campo.
Recordo também da classificação brasileira para a Copa de 70, conquistada num Maracanã explodindo de gente – muitas pessoas tiveram que se sentar no chão, entre as filas, novamente nas cadeiras azuis. Pelé marcou o gol que nos garantiu a sofrida vitória, por 1 a 0, sobre o Paraguai e carimbou o nosso passaporte para o tri, que viria na primeira Copa no México.
Uma emoção inesquecível: a primeira vez nas cadeiras especiais. Aquela chegada, com a porta do elevador se abrindo e o campo surgindo, grandioso, emoldurado pelas arquibancadas lotadas, é um sonho para qualquer criança.

Por isso mesmo, no ano passado (1999), fiz questão de levar minha filhota pela primeira vez ao estádio, de cadeira especial – a carinha de encantamento dela me deu a certeza de que sentia, naquele instante, rigorosamente a mesma sensação que eu, tantos anos atrás.

O Maracanã da minha infância era o palco de estrelas alvinegras infernais. Reinava absoluto o Botafogo de Gérson, Jairzinho, Roberto e Paulo César (o Caju), enfileirando os adversários, entre eles o Flamengo, que, para desespero dos rubro-negros, contava com uma zaga formada por Murilo, Onça, Guilherme e Paulo Henrique.

Lembro-me até hoje da ira de meu pai, após alguns desses jogos, voltando para casa ao volante de nosso fusca, radinho do carro sintonizado nos comentários do João Saldanha ou do Ruy Porto.

– Esse deveria ser o time do leprosário. Só tem perna-de-pau! O único que joga alguma coisa aí é o argentino, o Doval – bramia meu velho, diante da minha curiosidade por saber como seria um time de "onze dovais", como ele me garantia ter sido o Flamengo dos seus tempos.

O meu próprio tempo me mostrou como seria. Com requintes de compensação. Assisti, já como jornalista, aos anos de ouro do Flamengo de Zico, Júnior, Leandro, Carpegiani, Andrade, Adílio e tantos outros. Era mais, muito mais do que uma equipe de "onze dovais".

São do Flamengo de Zico – estrela maior da década de 1980, no Maracanã – as minhas melhores lembranças deste estádio cinqüentenário. Os campeonatos brasileiros de 1980, 81, 83 e 87 dão bem a dimensão do que era aquela equipe e de que forma dominava o futebol do Brasil.

O futebol do Rio, entretanto, tinha outros grandes times. Cobri, durante alguns anos, um Vasco incrivelmente forte e capaz de enfrentar aquele Flamengo de igual para igual.

Dirigido pelo "titio" Orlando Fantoni, alinhava Mazaropi, Orlando Lelé (que baita lateral e que bela pessoa!), Abel (esse mesmo, técnico de hoje), Geraldo e Marco Antônio; Zé Mário, Zanata e Dirceu; Wilsinho, Roberto Dinamite e Ramon. Foi campeão em 1977 e, virava e mexia, faturava mais um título.

O Fluminense (acreditem!) também era brilhante. Da "máquina" de Francisco Horta, com Rivelino & Cia., ao time tricampeão carioca e campeão brasileiro, com Romerito, Washington, Assis, Branco e outros.
Maracanã, pra mim, é sinônimo de vozes inesquecíveis que já se foram. Como esquecer o "Tem peixe na rede...", de Waldyr Amaral? E o "golaço, aço, aço ...", de Jorge Curi?
Lembro do Maracanã e ouço ainda o "Meus amigos...", de João Saldanha, o "João sem Medo" e sua velha figura do "macaquinho namorando a girafa".
Que me desculpem os mais antigos, mas Maracanã, na minha experiência pessoal, é sinônimo de alegria e glória, não de derrota. Em 1950 eu nem tinha nascido.
Este gigante guarda um bom pedaço da minha vida e algumas das minhas melhores lembranças.
Saudades, velho!

COMO É?

Década de 1990, almoço do time do Flamengo, antes do jogo contra o São Paulo. O zagueiro reserva Fabiano insistia para que os titulares deixassem a salada de lado e comessem muita massa. Ricardo Rocha quis saber por quê:
– Massa tem muito bicarbonato. Isso dá uma tremenda energia pro jogo – disparou Fabiano.
E eu que sempre pensei que massa tivesse carboidrato...

DESODORANTE

Essa era do "arsenal" de Sandro Moreyra: véspera do embarque para o Chile (onde o Brasil acabaria conquistando o bicampeonato mundial), Garrincha aproxima-se do chefe da delegação e pede que mande comprar uma caixa de desodorantes Ioiô – segundo ele, o único que não lhe dava urticária...

Encomenda feita, um funcionário da antiga CBD percorre as perfumarias e farmácias da cidade e volta exausto:

– Ninguém tem, nem sabe do tal desodorante Ioiô!

O Mané espanta-se e, sacando um frasco vazio da bolsa, mostra o desodorante 1010...

ARRANJO BAIANO

ESSA É DOS TEMPOS das eliminatórias do penta. Aconteceu no dia do treinamento que antecederia o jogo com o Chile, em Curitiba. Preocupado em aparecer bem para Felipão, o capeta Edílson comentava com o amigo e conterrâneo Vampeta, antes do coletivo:

– Preciso arrebentar hoje, pra agradar o "homem" e arrumar uma vaguinha nesse time titular. Você tem que me ajudar, amigão!

Com sua proverbial malandragem, Vampeta sugeriu uma "corrente baiana":

– Vou dar um toque no Júnior e no Dida (ambos baianos) e o pessoal da boa terra vai te ajudar.

Explica-se: Edílson começaria treinando entre os titulares e Vampeta, Júnior e Dida estariam entre os reservas. A idéia era "não dividir" com o amigo, para que ele pudesse aparecer bem na foto.

Trato feito, o Capeta pegou a primeira bola que recebeu, já no time titular, e partiu para cima de Vampeta. Uma finta de corpo e o amigo ficou "inapelavelmente" batido para trás. Edílson avança, então, pela direita e recebe o combate de Júnior. Novo corte em velocidade e o atacante já está na cara do gol.

Dida sai em desespero, e o Capetinha prepara o balãozinho consagrador. Mas aí.... BUUUUMMMMM!!!

Dida, com um chutão, o acerta no estômago e isola a bola pra bem longe.

– Pô, Nelson (é esse o nome de Dida), mas logo você?!?! Estava tudo certo entre os baianos!!! – queixa-se Edílson, caído.

E Dida, com ar surpreso:

– Mas a mim ninguém avisou nada...

No meio-campo, mãos na cabeça, Vampeta ri sem parar. Tinha esquecido de falar com o goleirão...

Ainda assim, Edílson conseguiu a vaga. E fez até o primeiro gol na vitória por 2 a 0 sobre os chilenos.

CORTESIA

Campeonato Carioca. Bangu jogando, Castor de Andrade (bicheiro e patrono do clube) presente. Toninho "Cachorro", um de seus asseclas, já resolvera tudo com o goleiro adversário. Trinta pratas por três gols.

Começa a peleja, e em 30 minutos, 5 a 0 para o Bangu. Preocupado, Castor manda Toninho dar um pulo até a baliza do adversário, levando um recado para o goleiro:

– O doutor mandou dizer que só paga pelos três gols combinados. Daí por diante é por sua conta, ok?

Acabou 5 a 0 mesmo.

GATO POR LEBRE

Baile Vermelho e Preto, nos áureos tempos do Flamengo de Zico, Júnior e Cia. No meio do salão, um zagueiro famoso por seu vigor físico e sua técnica, digamos assim, limitada, é visto atracado com um mulherão do seu tamanho. De repente, a notícia:

– É travesti!

Um dos craques corre para avisar ao incauto becão, mas este, desavisado e feliz da vida, já desaparecera na calada da noite, com a *drag queen* a tiracolo.

No dia seguinte, jogadores e jornalistas esperam ansiosamente pelo zagueiro. Quando ele aponta na entrada do vestiário, a gozação é geral:

– E aí, "ela" te enganou, hein?

E o malandro, sem perder a pose:

– É, mas eu também enganei a bichinha. Só na saída do motel ela descobriu que eu não era o Cláudio Adão...

NARIZ BOLIVIANO

ESSA QUEM ME contou foi o jornalista Ari Borges, amigo de outro bravo veterano de imprensa, que é, atualmente, um grande parceiro meu: Toninho Neves, o Toninho "Boca Suja". Aconteceu no restaurante Lellis, em São Paulo, dias depois de explodir na imprensa internacional a denúncia de que Maradona fraudava os exames *antidoping*, na época em que jogava no Napoli, da Itália.

Os personagens principais da história são dois ex-centroavantes de primeira: Casagrande e Careca.

"Casão" estava no restaurante, como é de seu hábito às terças-feiras, para fazer entrevistas para a coluna que assina no *Estadão*.

Ele já tinha terminado a daquele dia (com outro atacante maravilhoso: Luís Fabiano, do São Paulo), quando Careca chegou.

Cumprimentos, abraços, lembranças e chopinhos em profusão. Lá pelas tantas, o assunto é Maradona, com quem Careca jogou e foi campeão no Napoli.

Amigo e padrinho de uma das filhas de Don Diego, ele aumenta o tom de voz para defender o antigo companheiro das acusações do ex-presidente napolitano, Corrado Ferlaino.

– É um absurdo total! – vocifera, enraivecido.

Casagrande, que na mesma época atuou pelo Áscoli e, posteriormente, pelo Torino, concorda:

– Eu me lembro bem que na sala onde se recolhia o material ficavam sempre um representante de cada clube e ainda um coletor oficial da Federação – garante, resoluto.

– Pode até ser que eles tenham conseguido trocar as amostras de urina nos jogos feitos lá no San Paolo (estádio do Napoli). Mas e nos outros estádios???? – pergunta Casagrande.

Satisfeito com a posição do amigo, Careca, já quase gritando, passa a enumerar as qualidades de Maradona como homem.

– É um baita pai e um grande marido. Um cara que, se for preciso, tira o próprio agasalho e lhe dá se você estiver com frio!

– É... – concorda o "Casão", já meio entediado com a canina manifestação de amizade de Careca.

– E tem mais – recomeça o ex-centroavante de Guarani e São Paulo. O Maradona tem um puta sangue argentino!

– Claro – aquiesce Casagrande.
– Mas o coração dele é brasileiro!!! – emenda Careca.
A esta altura, Casagrande não resiste e solta a pérola definitiva:
– Sangue argentino, coração brasileiro e... nariz colombiano, né? Maradona era o verdadeiro craque pan-americano! – conclui.
E os dois encerram o assunto às gargalhadas.

TAL QUAL

Bagá foi comprar jornal, e enquanto levava um lero com o italiano da banca, Bagazinho, o filho do ciclope, na pureza dos seus quatro anos, se deparava com a última *Playboy*:
– Paiê, a Tiazinha é o travesti do Zorro?
Tal pai, tal filho!

QUE FESTA!

Final de jogo entre Santos e Portuguesa Santista, pelo campeonato paulista de 1999, o repórter da Cultura de São Paulo pergunta ao jogador Narciso, do Santos, sobre o clima de festa na cidade. Entusiasmado, o jogador responde:
– É muito bonito ver a cidade tão festosa...

BRINQUEDINHOS

Três jovens craques, deslumbrados com a fortuna e as belas "modelos" com as quais se casaram, comentavam, felizes da vida, as "tolices" de suas esposas.
– A minha, por exemplo, comprou uma bicicleta de 18 marchas, importada da Bélgica, e nem sabe pedalar! – disse o primeiro.
E o segundo arrematou:
– E a minha, que mandou construir uma piscina enorme lá em casa e nem sabe nadar?

A história do terceiro, porém, foi a melhor de todas:

– Ah, pior que a minha não tem! Imaginem só: antes de partir de férias com umas amigas, lá para a nossa casa de praia, em Angra dos Reis, ela comprou um pacotão de camisinhas. E nem pinto ela tem!

DEDICATÓRIA

Era uma homenagem ao empresário Arthur Sendas, vascaíno de quatro costados. Um craque foi convocado para autografar a camisa que seria dada a ele. Um dos dirigentes do futebol avisa, baixinho:

– O Arthur é com H.

O artilheiro não fez por menos e rabiscou: "Para o Sr. Hartur Sendas, com o abraço do amigo...."

MILAGRE

Esta foi publicada no *Estória da História, do F.C. Porto, 100 anos de história.* "Maio de 1941, Joaquim Antônio Lopes, guarda-redes do Castelo da Maia Futebol Clube e ex-infantil do F.C. do Porto, foi punido pela Associação de Futebol do Porto por ter insultado o árbitro, durante um jogo. Um pequeno pormenor: o atleta era surdo-mudo..."

A MELHOR

Pelada no campinho do Chico Buarque, o compositor aproxima-se de Rodrigo Paiva, então assessor de imprensa de Ronaldinho, e se mostra solidário:

– Não liga para as pressões da imprensa. Você é o meu Maurinho! Enquanto eu for o técnico, você será sempre escalado.

Depois que Chico sai, Ronaldo emenda:

– Como treinador, Chico é um grande compositor...

Na tal pelada, também jogou a Milene, rainha das embaixadinhas, na época casada com Ronaldo. Pergunta irônica do "Fenômeno":

– Imagina quem foi melhor em campo?

"*SOMMELIER*" PÃO DURO

Wanderley Luxemburgo convidou Reinaldo Pitta e Alexandre Martins, então empresários de Ronaldo, para jantar no Antiquariu's de São Paulo. Metido a *sommelier*, escolheu um vinho especial, que custa R$ 1,5 mil a garrafa.

– Hoje é por minha conta! – avisou aos convidados, assim que chegaram. O vinho era de fato delicioso e, logo, logo, três garrafas já tinham sido consumidas. Foi quando Wanderley esgueirou-se até o garçom e implorou, baixinho:

– Se pedirem mais, diga que esse vinho acabou, pelo amor de Deus!

UM GOLEIRO BEM PALHAÇO

O ATUAL PRESIDENTE do Botafogo, Bebeto de Freitas, foi um dos maiores jogadores de vôlei do Brasil, nos seus tempos. Levantador de primeira, disputou várias Olimpíadas na quadra e, depois, como técnico, dirigiu a geração de prata, que deu início ao *boom* que transformou o nosso voleibol na potência que é hoje em dia. Em seus tempos de técnico, conheceu Fernandão (meu velho companheiro de colégio, no Franco Brasileiro, e atual colega, como comentarista, no Sportv). A divertida história que se segue tem os dois como personagens principais.

Tudo se passa em 1982, no tempo em que Bebeto era o técnico da seleção brasileira, e Fernandão, um de seus jogadores.

Houve uma excursão à antiga União Soviética, e, num dia de folga, o time foi à praia, em Riga, cidade banhada pelo mar Báltico. Lá chegando, resolveram fazer uma pelada de futebol de areia entre brasileiros e soviéticos. Mas poucos dos jogadores de vôlei da União Soviética jogavam bola com os pés. Por isso, a equipe deles foi enxertada com vários peladeiros locais.

Ainda assim, faltava um goleiro. E a solução foi "emprestar" Fernandão, que estava com o joelho machucado e não poderia jogar na linha mesmo.

Rola a bola, e a brincadeira é disputadíssima. Apesar de contar com alguns talentos futebolísticos, como Renan, William, Domingos Maracanã e o próprio Bebeto, os brasileiros não conseguem traduzir em gols sua superioridade técnica. Tudo por causa de Fernandão, que se revela um goleiraço, pegando todas!

A partida fica mais ríspida, e a tropa de choque, formada por Xandó, Montanaro e Amauri, desce a lenha nas canelas soviéticas. Mas, ainda assim, nada de o time deslanchar. Fernandão continua a fechar o gol.

– Tá de sacanagem!?! Deixa passar, ô palhaço FDP – gritava Bebeto, a cada nova defesa.

Fernandão ria às gargalhadas e seguia fazendo milagres. Com 2 a 2 no placar e os dois times já extenuados, resolveu-se decidir na morte súbita:

– No primeiro gol acaba! Ouviu, palhaço FDP? – advertiu em voz alta o técnico da seleção.

E tome de sofrimento e de defesas impossíveis de Fernandão – seguidas de xingamentos de Bebeto:

– Deixa passar, ô palhaço FDP!!!

Depois de muito sofrimento, o Brasil chega ao terceiro gol e à vitória. Todos mortos de cansaço e cheios de dores, tantas foram as pancadas de parte a parte. Foi quando um dos peladeiros locais se aproxima dos brasileiros e comenta, impressionado:

– "Palhaço FDP" *is a very good goal keeper! Very good! Thank you very much* "Palhaço FDP"!

Em tempo: Bebeto e o "Palhaço FDP" eram, e ainda são, grandes amigos, daí a liberdade para a "brincadeirinha carinhosa".

INESQUECÍVEL TIM LOPES

MEU COMPANHEIRO Tim Lopes era um apaixonado por futebol. A história que se segue é uma pequena homenagem à memória do bravo repórter, que morreu barbaramente assassinado pelo poder paralelo desta cidade enquanto fazia uma reportagem que visava justamente à denúncia de suas mazelas e à tentativa de melhorá-la. Ela me foi contada por Alexandre Medeiros, que também já foi meu companheiro n'*O Globo* e era o maior amigo do Tim Lopes. Aconteceu numa pelada entre coleguinhas da imprensa na qual Tim, como vascaíno apaixonado, fez questão de vestir a sua equipe com a camisa cruzmaltina.

Na torcida, estava seu filho Bruno, então com seis anos. E o garoto não fazia por menos. Mal rolou a bola, começou a cantoria:

– Vascôôô, Vascôôô...

Bem que Tim se esforçava para dar alegrias ao pequeno. Mas o seu time era ruim demais, e o adversário (logo com a camisa do Flamengo!) ia metendo um gol atrás do outro.

– Vascôôô...

À beira do campo, o pequeno Bruno já começava a ficar desanimado, mas não desistia. Foi quando Tim recebeu um passe, dentro da área, livrou-se do marcador com uma ginga, digna do bom sambista que era, e fuzilou o goleiro, marcando o primeiro gol do seu time. No placar, 10 a 1 para o adversário... E Bruno, não teve dúvidas:

– Tim, ê, Tim, ê, Tim, ê, Tim, êêê!!!!

Celebrava ali, não a vitória do seu clube, mas o feito daquele que era a sua verdadeira paixão: o pai.

Paixão mais que justificada por um pai amoroso e um cidadão exemplar que Tim sempre foi.

Saudades dos nossos papos na redação e dos nossos encontros, correndo na praia de Ipanema, velho parceiro.

Onde quer que você esteja, tenho certeza, estará divertindo os que estão ao redor, com seu famoso bom humor, e ajudando os que precisam, com sua incansável sede de justiça.

Nem precisaria dizer, mas é sempre bom repetir: seu pai era grande, Bruno.

A REGRA É CLARA

O craque metido a galã finalmente resolveu se casar. Conhecido por suas estripulias na noite (e muitas vezes até de dia), achou melhor prevenir a futura esposa:

– Na segunda é dia de futevôlei; na quarta tem o pagode, e na sexta, o encontro na discoteca. São coisas que não quero perder com o casamento...

A moçoila, sempre compreensiva, nem pestanejou:

– Não tem problema, amor. Você pode sair quantas noites quiser, chegar em casa a hora que quiser, de madrugada, bêbado ou não, tudo bem... Só tem uma coisa: aqui em casa tem sexo três vezes por semana. Você estando ou não!

QUAL DELES?

José Alberto Teixeira, árbitro que entrou no folclore do futebol mineiro ao autorizar a saída de um jogo sem que a bola estivesse em campo, sofreu certa feita um assalto no centro de Belo Horizonte. Furioso, saiu em disparada atrás do gatuno, gritando:

– Pega ladrão, pega ladrão!

Muita gente ficou em dúvida se deveria agarrar o da frente ou o de trás...

ESSES JUÍZES...

MARCELO MIGUERES Barbosa finaliza o seu livro com histórias de arbitragens e me manda algumas pérolas, em *avant-première*:

"No Espírito Santo, normalmente, os árbitros veteranos da federação escolhem jovens e promissores talentos do apito para substituí-los. Como prêmio, os novatos arbitram as suas partidas de despedida, com os homenageados atuando como assistentes.

Antônio Buaiz Filho, então um iniciante, foi escolhido pelo experiente Marcos Albuquerque para apitar o jogo que marcaria a sua despedida, em Guarapari, interior do estado.

A peleja transcorria normalmente quando nuvens ameaçadoras começaram a cercar o estádio. Na metade do segundo tempo, raios já riscavam o céu. Preocupado, Buaiz olhava para o relógio, torcendo para a partida terminar antes da chuva, mas não deu: desabou um enorme temporal.

Lá pelas tantas, alguns torcedores gritam:

– Seu juiz, o bandeirinha está sangrando! O bandeirinha está sangrando!

Buaiz, que estava no meio-campo, observa que o assistente (o árbitro que se aposentava) estava vermelho da cabeça aos pés.

– Seu Marcos, foi pedrada, paulada ou garrafada? – pergunta Buaiz, se aproximando, correndo.
E o bandeira apenas balançava a cabeça, mandando a partida prosseguir.
– Eu sei que hoje é sua despedida, amigo, mas você não pode continuar em campo neste estado. O que houve? Me conta!
E o veterano do apito, rosnando entre dentes:
– A culpa é da minha mulher que me comprou esta tinta de cabelo acaju vagabunda. Segue o jogo..."

◆

"Um bandeirinha estava louco para dar a sua primeira entrevista. Ele olhava, lânguido, para os repórteres, sempre na esperança de um dia aparecer na TV. Finalmente o grande dia acontece. Partida nervosa, numa disputa de bola junto à lateral dois jogadores trocam agressões.
O assistente chama o árbitro, que não vira o lance, e os brigões acabam expulsos. No final do jogo, muito elogiado, o bandeira candidato a celebridade tem a oportunidade de relatar – em rede nacional! – a sua versão da briga:
– Foi 'simpres!' Um agrediu, o outro 'revidiu'."

◆

"Arredores de Aracaju, campinho de várzea, final dos anos 70. Sidrack Marinho apitava Olímpico e Mandacaru.
Alguns jogadores começaram a reclamar do zagueirão Parada, do Mandacaru. Cada bola dividida com o voluntarioso becão era seguida da queda do adversário, urrando de dor.
Sidrack resolveu chegar perto e estranhou a exagerada grossura de suas canelas, desproporcionais às coxas finas. Vistoriando seu uniforme, constatou que ele não usava caneleiras, mas um inusitado acessório. Antes de expulsá-lo, ainda ouviu uma pérola:
– Seu juiz, eu estou sem dinheiro pra comprar caneleiras. Lá em casa tinha umas telhas sobrando, resolvi improvisar..."

◆

"Cláudio Cerdeira estava escalado para uma partida entre Vitória e Grêmio, no Barradão. Ao embarcar no avião para Salvador, eis que descobre que toda a delegação do clube gaúcho também estava naquele vôo.

O árbitro cumprimentou alguns jogadores e sentou-se. Ao seu lado, o polêmico goleiro Danrlei, sempre envolvido em confusões dentro e fora de campo.

Conversa vai, conversa vem, Danrlei garante que havia se regenerado, mudado o comportamento impulsivo e que, amadurecido, tinha planos até de chegar à seleção brasileira.

No dia seguinte, foram para o jogo. Rola a bola, e o Grêmio, que tinha uma excelente equipe, logo abriu 2 a 0 no placar. Entretanto, o estádio lotado motivava a equipe da casa, que reagiu e marcou o seu gol.

Nisso, o 'regenerado' Danrlei se agarra à bola no fundo das redes e, ferozmente, impede o reinício da partida. Empurra-empurra, começa uma confusão generalizada que deixa o jogo parado por muito tempo.

Cerdeira espera os ânimos serenarem, chama o goleiro fora do bolo e... pá! Cartão vermelho. Perplexo, Danrlei ainda argumenta:

– Mas, professor, eu não tenho nem amarelo.

E Cerdeira, implacável:

– E nem precisava. O amarelo foi dado ontem, no avião..."

O PONTO DO DIRETOR

ESSA ACONTECEU no final da década de 1970, num grande jornal carioca que, como a maioria, tem por hábito atribuir notas para o desempenho dos jogadores nas partidas de futebol.

Especialmente irritado com um determinado craque (e põe craque nisso!), um repórter, aproveitando-se de uma atuação pouco feliz do atleta, tascou-lhe um implacável ZERO!

No dia seguinte, já pela manhã, explodia a crise na editoria de esportes! Acordado por um telefonema enfurecido do diretor de redação, o editor teve que chegar cedo no jornal e, imediatamente, convocou uma reunião com toda a equipe. Nela, após a peroração de praxe, veio a ordem taxativa:

– A partir de hoje, a menor nota para qualquer jogador é CINCO. Seja qual for a partida! Por uma questão de respeito profissional! E não se fala mais nisso...

E assim foi durante anos a fio. Até que um dia, outro repórter mais jovem, inconformado com a rigidez de tal regra, puxou papo com o editor – que a esta altura já não era o da época do fatídico zero e do famoso Ato Cinco (não confundir com o da política). Conversa vai, conversa vem, o chefe prometeu voltar a discutir a questão com o diretor (esse, sim, ainda o mesmo). E retornou da reunião satisfeito:

– Acabou o Ato Cinco! Todo mundo pode voltar a dar notas normalmente, de zero a dez. Mas, por favor, tenham equilíbrio, hein!

Tudo muito bom, tudo muito bem, eis que o repórter que puxara o assunto e, concidentemente, passara a ser naquela época responsável pela cobertura do clube do tal craque que levara o zero, começa a perceber que as suas notas para o jogador (repito: um cracaço), vez por outra, saíam com um ponto a mais do que ele atribuíra.

– Engraçado, achei que tinha dado 7, mas foi 8! – estranhou a primeira vez.

– Ué, dei 8,5, saiu 9,5! – percebeu numa outra.

E voltou ao editor, com a nova questão. Foi quando, como se quisesse que ele mesmo desvendasse o mistério, o chefe o escalou, naquela noite, para fazer um jogo, pela TV, justamente na sala do diretor.

Breve explicação obrigatória. Naqueles tempos, havia apenas duas TVs na redação (por ordem da diretoria). Uma no "aquário" (onde ficavam o editor-chefe e seus subordinados imediatos), outra na sala (fechada) do diretor.

Dia de fazer jogo pela TV (ainda não existiam cabo nem *pay-per-view*), um repórter era designado para assistir à partida na pequena televisão do diretor, orientadíssimo a não tocar em nada na sala.

Foi o que tratou de fazer o jovem jornalista, naquela noite, acomodado na cadeira giratória, bloco de laudas no colo, caneta na mão. Seus olhos irrequietos, porém (repórter que se preza morre pela curiosidade), começaram a percorrer logo o severo ambiente. Foi num relance que ele entendeu tudo. Estava desfeito o mistério! Sob o tampo de vidro da austera mesa do diretor, com direito a carinhoso autógrafo personalizado, lá estava uma foto do tal cracão. Que enquanto jogou mereceu do jornal sempre um ponto a mais: o ponto do diretor...

Cá entre nós, nada de excepcional. O jogador e o diretor eram, ambos, autênticos foras-de-série.

◆

O nome do diretor? Evandro Carlos de Andrade? O do craque? Zico. O (então) jovem repórter que descobriu tudo? O autor deste livro...

RAIO TEIMOSO

QUANDO, EM JUNHO de 1997, pisei pela primeira vez em Roland Garros, achei que realizaria apenas um sonho pessoal. Tenista amador (dos ruins!), sempre quis conhecer as quadras de saibro mais charmosas do mundo e aproveitei um breve intervalo do trabalho para assistir a alguns jogos.

Santa inocência! Estava prestes a testemunhar a aparição de um dos maiores ídolos do esporte brasileiro nos últimos 80 anos – Gustavo Kuerten, o "Guga", até então, quase um desconhecido, até mesmo para jornalistas, como eu, especializado em esportes!

Aos 21 anos, Kuerten surgiu como um raio! Avassalador, conquistou o torneio, derrotando, em sua surpreendente campanha, ninguém menos do que os três ex-campeões que detinham os últimos quatro títulos em Paris: o austríaco Thomas Muster (vencedor em 1995, e batido por Guga na terceira rodada), o russo Yevegeny Kafelnikov (campeão em 1996, derrotado nas quartas-de-final) e o espanhol Sergi Bruguera (bicampeão em 93/94, massacrado na grande final).

– Quem é esse garoto? De onde ele saiu? – urrava um desesperado Muster, em seu jogo contra Guga.

Ninguém sabia. Mas a partir daquele torneio todos o conheceriam como um dos melhores jogadores de quadras lentas em todos os tempos.

O resultado? Estava eu na França para escrever sobre futebol (como colunista de *O Globo*, acompanharia o Torneio da França, disputado pela seleção brasileira) e acabei passando duas semanas falando somente de tênis e do surgimento do fantástico "Surfista do saibro" – como o prestigiado jornal esportivo *L'Equipe* apelidou Kuerten.

De volta ao Brasil, não faltou quem me dissesse que eu nunca mais deveria voltar a Roland Garros:

– Você tem muita sorte. Um raio não cai no mesmo lugar duas vezes...

Ossos do ofício, não pude mesmo retornar a Paris nos dois anos seguintes, e Guga perdeu por lá, reforçando a tese agourenta.

Em 2000, entretanto, enchi-me de coragem e resolvi desafiar o destino. E eis que reencontro em Roland Garros um Gustavo Kuerten em forma exuberante – a melhor de toda a sua carreira.

O jovem de 1997 (que batia todas as bolas como se fossem as últimas, sem medo de errar – e muitas vezes errava!), transformara-se num jogador quase completo, muito mais consistente e inteligente. Venceu naquele ano de maneira brilhante e categórica. Sua exibição na grande final, contra o sueco Magnus Norman foi de antologia. Começava a ganhar corpo, ali, o novo número 1 do mundo, posto que alcançaria, no final do ano, na Master Cup de Portugal, batendo, em quadra rápida (que nunca chegou a ser a sua especialidade) monstros sagrados como os americanos Pete Sampras e André Agassi.

Já como líder do *ranking* mundial, Guga pisou Roland Garros em 2001 com a difícil missão de se tornar um dos pouquíssimos tenistas da história capaz de vencer três vezes o principal torneio francês – feito que o elevaria ao patamar de gênios do saibro, como o francês Renê Lacoste, o sueco Mats Wilander e o tcheco Ivan Lendl. Não deu outra. Apesar de um susto colossal diante do inexpressivo americano Michael Russel, que chegou a estar vencendo por 2 sets a 0 e teve um *match point* em 5/3, no terceiro, Kuerten recuperou-se e conseguiu uma vitória épica.

Depois dela, desenhou, com a raquete, no saibro da quadra central, o próprio coração, numa forma de agradecimento à torcida que o incentivara até o fim. Conquistou o título, e, pela terceira vez, eu estava lá:
– Guga faz com a raquete coisas que parecem improváveis ou impossíveis. Lembra o que Pablo Picasso fazia com os pincéis.
O incrível elogio ouvi da boca de um de seus maiores rivais, o russo Kafelnikov, conhecido por seu mau humor e a quem Guga chamava, de forma brincalhona (e simplificada!), de "Café-no-Copo".
Pena que naquele mesmo ano veio a contusão no quadril (que já o forçou a duas cirurgias) e o fim de um reinado tão inesquecível quanto inesperado. Seja como for, Gustavo Kuerten já faz parte da história do Brasil e do esporte. Impossível esquecê-lo – ou deixar de aplaudi-lo.
Valeu, Guga!

APRENDIZ INSOLENTE

Outra do tênis. Aproximava-se o US Open e, preocupado com a disposição de seu maior rival, o americano John McEnroe, o tcheco Ivan Lendl procurou Nick Bollettieri (técnico e dono de uma das mais famosas academias de formação de tenistas na Flórida), com um pedido especial:
– Preciso que você me mande o seu melhor garoto de (estilo) saque e voleio, para ser meu *sparring* nos próximos dois meses. O US Open está chegando, e eu quero ganhá-lo de qualquer forma, para igualar o tetracampeonato dele! (McEnroe – mais que o maior adversário, um grande desafeto do então número 1 do mundo).
E assim foi feito: Bollettieri mandou para a casa de Lendl (uma magnífica mansão com várias quadras de tênis, em Boca Ratton) um jovem talentoso que jogava o tempo todo na rede. Com ele, Lendl treinou dois meses, aperfeiçoando a tática que pretendia usar para bater o "Big Mac".
Começa o torneio, e, já nas quartas-de-final, quem Lendl encontra como adversário? O garoto de Bollettieri que, implacável, o elimina do torneio! Não satisfeito, o menino enfrenta o próprio McEnroe, na semifinal e o derrota também, numa partida memorável (3 *sets* a 1).

Para finalizar, vence a decisão, batendo a grande revelação do tênis na temporada – André Agassi.

O nome do guri? Pete "Pistol" Sampras, que viria a ganhar cinco vezes o US Open (esta primeira, em 1990, e a última, no encerramento de sua carreira, em 2002) e até hoje é considerado por muitos o maior de todos os tempos.

INCÊNDIO

Embriagado de emoção e cansaço, após passar a noite em claro, comemorando a classificação do Botafogo para a final da Copa do Brasil, o apaixonado torcedor alvinergro foi enfim se deitar. Já dormitava quando ouviu um vizinho gritar: "FOGO!" Mesmo com o corpo moído, levantou-se, foi à janela e gritou também: "FOGO!" E, feliz da vida, voltou a dormir. Para sua sorte, outro morador do prédio telefonou, informando que havia de fato um princípio de incêndio e os bombeiros estavam mandando todo mundo descer. O botafoguense, envergonhado pela confusão, cumpriu a determinação, mas não perdeu a pose: chegou à portaria enrolado na bandeira do Glorioso.

UM CAMPEÃO INESQUECÍVEL

ERA UM DAQUELES dias – e uma daquelas situações caóticas – em que não se tem vontade de ver absolutamente nada, nem ninguém. Toca o telefone, e o primeiro impulso é o de não atendê-lo. Para meu desespero, porém, percebo a secretária eletrônica desligada. Um toque, dois toques, três toques...

– Vai desligar – penso, esperançoso.

Qual o quê! Quatro toques, cinco, seis, sete, oito...

– ALÔ! – atendo, irritado com tanta insistência em falar comigo num momento em que não quero falar com ninguém.

– E aí, rapaz, como está?

Do outro lado da linha me surpreende a voz sempre mansa e afável de um, até então, conhecido recente.

– Olha, sei que você não deve estar querendo muita conversa depois do que aconteceu. Só telefonei pra dizer que se você tiver vontade de bater um papo, desabafar, sei lá... Quando quiser, na hora em que quiser, pode ligar, tá? Afinal, amigo é pra essas coisas... – resumiu, de forma objetiva e carinhosa.

Lembro-me que agradeci e desliguei. Nunca chegamos a ter "aquela conversa". Mas a partir desse dia nos tornamos amigos para sempre.

Conversar com Daltely Guimarães era, sem dúvida, um enorme prazer. Apaixonado por esportes, como eu, tinha a vantagem de ter sido um grande campeão de natação e – técnico brilhante em que se transformou – continuar formando gerações e gerações de campeoníssimos atletas das piscinas: Ricardo Prado, Patrícia Amorim e tantos outros nadadores do Flamengo e da seleção brasileira que o digam.

Depois de cada Olimpíada, de cada Campeonato Mundial, encontrar o "Dalt", como o chamavam carinhosamente todos os seus pupilos, era uma delícia.

Com o tom de voz tranqüilo que o caracterizava, contava as melhores histórias do esporte e os lances mais emocionantes de cada competição.

Era muito fácil gostar do Daltely! Tão fácil, que se tornou extremamente difícil encarar a dura realidade de sua doença.

A princípio (e me envergonho disso) não tive coragem de visitá-lo no hospital. Pois foi ele próprio que, após ter alta, fez questão de me eximir de culpa, numa conversa de mesa de bar:

– Ih, rapaz, deixa de bobagem! Com a cara que fiquei, se pudesse, nem eu mesmo me visitava...

Ainda nos encontramos um razoável número de vezes, e, apesar do drama pessoal que vivia, nunca se mostrou abatido. Pelo contrário, tentava sempre saber dos problemas dos outros e, com sua vasta experiência e muitos conhecimentos, aconselhava, ajudava.

Foi por Daltely – e apenas por ele – que, em determinada ocasião, aceitei sentar-me à mesa com um indigesto desafeto que pedia, através da amizade comum, apoio para uma campanha no Flamengo. O almoço nem foi tão duro de digerir. Com Daltely nunca era.

Por sua morte, chorou, com razão, todo o esporte brasileiro. Particularmente, chorei eu a perda de um amigo, no mais puro, raro e sincero sentido do termo.

Não o esqueceremos, campeão.

IMPRESSÃO

Primeira rodada da Copa América: num resultado até surpreendente, o Japão vai derrotando o Peru. Aos poucos, porém, os peruanos se encontram em campo, empatam e já ameaçam virar o placar. Empolgado, o locutor pergunta ao comentarista:

– E aí, você não acha que o Peru está crescendo e endurecendo?!?

Pano rápido!

INSPIRAÇÃO

Da inesgotável série acredite, se quiser: em entrevista à Rede Globo, o zagueiro Odvan contou que seu nome foi escolhido, por seus pais, em homenagem a uma música do Rei Roberto Carlos.

– Que música? – quis saber o repórter.

– O divã...

LÁ OU CÁ?

NA MINHA JANELA, na Visconde de Pirajá, vejo a Jangadeiros embandeirada. É o espírito da Copa do Mundo incorporando-se aos poucos à cidade. Aproxima-se mais um Mundial e, com ele, a velha questão: onde é melhor ver a Copa: aqui (no Brasil) ou lá (no local onde ela se realiza)?

Aos apressadinhos que podem estar berrando "LÁÁÁÁ", me apresso a contar divertida história que testemunhei no Mundial de 1982, na Espanha – aquele mesmo, que deveríamos ter ganho e não ganhamos...

Após as duas primeiras rodadas (com vitórias sobre a União Soviética e a Escócia), o "quadrado mágico" formado por Zico, Sócrates, Falcão e Cerezo já encantava o Mundo, levando ao delírio a torcida brasileira, com o seu futebol de sonho:

– Olha só, carnaval em junho! Olha a Atlântica parada! E estas gatas lindas, seminuas, no Caneco 70 (famoso bar quase na subida da avenida Niemeyer, no Leblon)! Ai, meu Deus! E nós aqui, a comer *paella*...

Acredite se quiser, as lamúrias, em plena noite sevilhana, eram de um brasileiro inconformado em estar tão perto dos craques e tão longe da torcida no Brasil! Seu nome? Antônio Ivan Chagas Freitas, jornalista e torcedor apaixonado, filho do ex-governador Chagas Freitas, então dono do jornal *O Dia*.

– Querem saber de uma coisa? Lá deve estar muito melhor do que aqui! – resmungava.

Veio o jogo com a Nova Zelândia – outro passeio da nossa seleção –, e Antônio Ivan não foi visto nem na tribuna de imprensa do Sanchez Piszjuan, nem no tradicional jantar dos jornalistas, às margens do Guadalquivir. Ressurgiu em Barcelona, coberto de glória:

– Lá está muito melhor mesmo. Vi o jogo contra a Nova Zelândia no Veloso (Garota de Ipanema, para os mais jovens). Vocês nem imaginam que loucura...

Diante das gargalhadas e do descrédito geral, Antônio Ivan fuzilou-nos com a prova definitiva e irrefutável! Um exemplar de *O Dia*, em que ele próprio aparecia, na capa, tomando caipirinha na rua Montenegro (Vinícius de Moraes, para a garotada!), com a edição extra da goleada contra os neozelandeses nas mãos!

– Fui, vi e voltei. E sou capaz de repetir a dose na final! – prometeu.

Era mesmo. Pena que Paolo Rossi não deixou...

DIALETO

Carlos Lima, o homem do "guéri, guéri", manda mais uma da sua época de locutor esportivo. Jogo do América contra o Fluminense, Lima narrava pela TV Tupi, e seu repórter de campo era Antônio Carlos Pinto. Num lance pela ponta direita, Flecha cai e machuca o ombro. O doutor Valdir Luz vai em seu socorro, e Lima chama:

– Pinto, quem caiu?

– O FRECHA ...

– FRECHA, Pinto?!?!

– É o FRECHA, sim, camisa 7! Acho que deslocou a CRAVÍCULA...

QUEBRA-CABEÇA

O cracão está treinando quando toca o celular. Do outro lado da linha, surge a voz melosa de sua loura:

– Amor, comprei um quebra-cabeça, mas é muito difícil. Nada encaixa. Não encontro nem os cantos!

– Qual é a figura?

– Um tigre – conta a lourinha, nervosa.

O jogador pega sua BMW e vai para a casa dela. Chegando, a boazuda o leva até a cozinha e mostra o quebra-cabeça sobre a mesa. E o cracão suspira:

– Amoreco, por favor, bota o sucrilho de volta na caixa, bota...

DE QUALQUER JEITO

Campeonato Brasileiro de 1975, jogavam, no Mineirão, Cruzeiro e Fluminense. O tricolor era a famosa "Máquina de Francisco Horta", mas o time de azul também era de respeito – com um ataque, formado por Roberto Batata, Dirceu Lopes, Palhinha e Joãozinho.

Um a um no placar, mas os mineiros já tinham acertado cinco vezes a trave. Faltando três minutos, o Flu consegue um escanteio pela esquerda. Exausto, Paulo César Caju chama o ponta Zé Roberto e lhe faz um sensato apelo:

– Zé, faltam poucos minutos, vamos tocar a bola por aqui, pois a pressão do Cruzeiro está muito forte.

E o Zé, ofegante:

– Caju, eu tô morto de cansado. Bate isso aí... Bate de qualquer maneira...

Paulo Cesar Caju, então, chuta forte, para a área... GOL OLÍMPICO! O primeiro a abraçá-lo é Zé Roberto:

– Cacilda, Caju, como é que você conseguiu isso?

E o PC, com a maior franqueza, às gargalhadas:

– Fiz o que você mandou. Bati de qualquer jeito!

Em tempo: justiça seja feita, mesmo batendo de qualquer jeito, o PC só tocava na bola com extrema categoria. Era um cracaço!

APORTUGUESANDO

Edinho Cueca jogava no Bahia. Certo dia, foi ao cinema assistir a *Conan, o bárbaro,* com Arnold Schwarzenegger. Na saída, encontrou-se com um repórter:

– E aí, Edinho, vindo do cinema?

– É, fui ver o Conan...

– Quem é Conan?

– É um fortão! Um tal de Arnoldo Soares Neves...

INSTRUÇÕES

Essa é do livro do ex-ponta-direita Zequinha: "O time do bagaço."

Vestiário do Ribeiro Junqueira, de Leopoldina, o técnico Chulé reúne o time e dá as instruções:

– Quero ver o goleiro avuando, igual avião; os beques explodindo, igual bomba; os laterais indo e vindo, igual sanfona; o meio-de-campo subindo e descendo, igual ioiô; os pontas abrindo e fechando, igual fiofó de cabrito, e os ponta-de-lança atirando, igual canhão! Vamos nessa...

O FILHO DA BOA

OSCAR SCHMIDT é o personagem da semana e foi de sua própria boca que ouvi, no jantar após o "Bem, Amigos", uma das melhores histórias de sua longa e vitoriosa carreira. Lembrava o "Mão Santa" que, nas primeiras vezes em que foi convocado para a seleção brasileira, adotou uma tática toda especial para garantir lugar no time dirigido por Ari Vidal.

Conta aí os procedimentos básicos, Oscar:

– No banco, enquanto os outros reservas ficavam olhando o jogo, eu passava o tempo todo encarando o Ari. Resultado, quando a coisa ficava feia e ele resolvia fazer uma substituição qualquer, virava para o banco e a primeira cara com que dava era a minha! Pode parecer bobagem, mas foi graças a isto que muitas vezes fui escolhido e entrei.

O segundo mandamento era nunca olhar o placar:

– Se eu soubesse quanto estava o jogo, acabaria me deixando influenciar. Eu entrava, geralmente nos minutos finais, com um único objetivo: fazer o maior número de pontos possível. A primeira bola que pegava, virava pra cesta e queimava da distância que fosse.

Tal petulância por parte de um jovem gerava, naturalmente, protestos.

– Eu "chutava" e ouvia os mais velhos gritando: "Filho-da...". Mas a bola "caía" (na cesta) e, sem jeito, eles completavam... BOA!" Virei o "filho-da-boa" e acabei titular... – conclui às gargalhadas.

O MANÉ

Garagem da Inter de Milão, no final dos anos 1990: primeiro, chega Moriero, ao volante de uma poderosa Ferrari. Em seguida, Roberto Baggio, a bordo de uma Mercedes prateada. Depois, Iván Zamorano, com uma BMW conversível. Logo aparece Ronaldo, numa *pick-up* Grand Cherokee 99, superluxo. De repente, entra um fusquinha, com um senhor de meia-idade e sua filha:

– Quem é o mané? – pergunta um brasileiro, que a tudo assistia.

– É o cara que paga o salário de todos os outros...

Tratava-se, de fato, de Mássimo Moratti, o megaempresário do setor petroleiro, presidente do clube.

EM BRANCO

Boxe da Stewart, em Monza. Ronaldinho chega para visitar Barrichello e é recebido por Jackie Stewart e seu filho Paul.

Dizendo-se seu fã, o velho Jackie pede que ele dê um autógrafo em uma folha de papel em branco, dobrada ao meio. Solícito, Ronaldo atende. Stewart dá uma gargalhada e mostra o que estava escrito na parte superior do papel dobrado:

"Comprometo-me a disputar a próxima temporada pelo Leeds United."

Em tempo: a família Stewart é fanática por futebol e pelo Leeds.

UMA LINDA PAIXÃO

O ESTÁDIO DO Boca Juniors, a lendária "Bombonera", é um dos trunfos dos argentinos na Libertadores. As arquibancadas ficam bem próximas ao gramado e o ângulo em que foram construídas (quase na vertical, perpendicularmente ao campo) torna a pressão da torcida ainda maior. Não bastasse isso, o *hincha* (torcedor) do Boca é o mais apaixonado do país.

Bom exemplo desta paixão está na história que se segue – insuspeita, pois contada por Hernan Rivas, torcedor do River Plate, o maior rival do Boca:

"Ano 1993, meu time '*del alma*', River Plate, jogava fora de casa naquele domingo (mais precisamente, no norte da Argentina – na província de Salta). Com a situação econômica muito difícil (já desde aquela época), não pude viajar para acompanhá-lo.

Decidi, então, fazer o que eu chamava do meu segundo melhor programa de futebol: ir torcer contra o Boca Juniors.

O Boca jogaria contra o Huracán, no estádio deste, em Parque Patrícios, bairro tradicional de Buenos Aires. Às 15h, lá estava eu, na torcida do Huracán, tendo em frente, na arquibancada rival, aquela massa de gente (ao estilo Flamengo) gritando pelo Boca Juniors. Logicamente, de vez em quando tinha que tampar os ouvidos porque me dava enxaqueca...

No intervalo do jogo, quando o Boca já estava ganhando por 2 × 0, observei que na arquibancada do lado de sua torcida um garotinho subira na grade atrás do gol, que tinha mais ou menos uns 25 metros de altura. Tentava arrumar uma faixa. Eis que ele escorrega e fica dependurado em uma mão, num ferro no topo. Nem se mexe com medo de cair.

Diante da iminência de uma tragédia, o estádio inteiro começa a apontar naquela direção. E faz-se um enorme silêncio, todo mundo observando aquele menino à beira de um gravíssimo acidente.

Poucos segundos depois, observo que a mão direita do garoto começa a se mexer pedindo que os torcedores cantassem o famoso '*Dale Boca*'. A torcida inteira começou, então, a pular e cantar freneticamente. E o garoto acompanhava o ritmo com a sua mão livre! No balanço da arquibancada e da própria grade, por causa do

'*Dale Boca*', acredite se quiser, ele conseguiu se agarrar novamente no alambrado, ficando seguro e descendo logo depois, para novo delírio dos torcedores boquenses.

Entrevistado por uma rádio local, momentos depois, o garotinho disse:

– Pedi que a torcida cantasse porque, se morresse, ia morrer feliz... Depois desta, meu caro Renato, no intervalo mesmo, saí andando para pegar meu ônibus e ir para casa. Calado. E o pior é que o River ainda perdeu o seu jogo por 2 a 1..."

Em tempo: "La Bombonera" treme com a vibração da torcida. Mas, como gosta de lembrar o Galvão Bueno, repetindo um ditado dos torcedores do Boca: "*La Bombonera no tembla, pulsa como el corazon de la hinchada.*" (A Bomboneira não treme, pulsa, como o coração de sua torcida.) Que bela paixão!

O TAL DO WELL...

O peso-pesado Maguila desembarcava nos EUA, para o seu primeiro desafio internacional no boxe. À espera, no saguão do aeroporto, um punhado de torcedores, com uma faixa:

– *Welcome Maguila!*

Bastou ler a faixa, e o pugilista partiu, enfurecido:

– Quem é o tal do "Uél?" Fale, se for homem!

– Mas que "Uél?" – espantaram-se os torcedores.

E Maguila, bufando:

– Esse que escreveu "Uél" come Maguila! Eu sou é espada! E meto a mão no safado que está querendo destruir minha imagem...

MAIS MAGUILA

Maguila foi fazer uma luta em Foz do Iguaçu e pediu aos promotores que deixassem entrar, de graça, uma turma de amigos. Os organizadores concordaram, mas foram logo avisando: "O valor dos ingressos dos amigos seria debitado e eles teriam que descontar no seu borderô". Foi aí que o pugilista virou fera:

– No meu "borderô" ninguém mexe! Nem a minha mulher!

DUAS DO SANDRO

EM HOMENAGEM a um saudoso companheiro dos tempos do *JB* e impagável contador de histórias do nosso futebol, relembro a seguir um dos divertidos "causos" que faz parte do seu livro *Histórias do Sandro Moreyra*.

Incêndio em Portugal, a população em torno do prédio vislumbra, em uma das janelas mais altas, uma criancinha desesperada, prestes a pular.

Comoção geral, mas eis que surge no meio da multidão o grande goleiro Costa Pereira!

Todos correm até ele e o puxam para a calçada diante do prédio sinistrado. Assim, com o grande goleiro ali, começam a mandar a criança pular – pois o grande Costa Pereira, certamente, a pegaria, com segurança e firmeza.

E assim fez o menino, saltando das alturas. Segundos antes de se espatifar na rua, o goleiro encaixou-o com firmeza nos braços. Delírio no público!

Quando todos comemoravam, eis que o goleirão faz algo inesperado: pega a criança, quica-a três vezes no asfalto e aplica-lhe medonho pontapé na bunda – "recolocando a bola em jogo"...

◆

Inesquecível passagem de Sandro Moreyra na TV.

Mesa-redonda na TV Bandeirantes, final dos anos 70 – Paulo Stein, Alberto Léo, Galvão Bueno, Márcio Guedes, João Saldanha e ele, o Sandro, eram os componentes.

Início de programa, *close* em todos, do Sandro só aparecem a cabeça e as mãos apoiando na mesa. Parece estar de joelhos. Todos dão o "boa-noite", e quando chega a vez de Sandro, ele fala:

– Antes de dar o meu boa-noite, eu gostaria de dizer que eu não sou anão e nem estou pagando promessa. É que o estúdio não tinha mais cadeira e a produção do programa arrumou um toco de árvore de um Centro de Macumba aqui do lado da Bandeirantes. Quero avisar ao Preto-Velho do Centro, que assim que acabar o programa a gente devolve. Por enquanto, ele vai ter de fazer despacho em pé!

As gargalhadas foram tantas que Paulo Stein foi obrigado a chamar os comerciais...

HOBBY OU ROBE?

Prestes a ser entrevistado, o jogador Edson Moita ouviu do repórter, a seguinte introdução:

– Bem-amigos, estou aqui ao lado do Moita, becão do Voltaço...

Antes que completasse a pergunta, Moita interrompeu-o, indignado:

– Calma, aí! Becão aqui é o Edinho (outro vigoroso zagueiro do Volta Redonda)! Eu sou é zagueiro.

E aí a louraça belzebu (namorada de um *bad boy* dos gramados) respondeu, toda dengosa, à pergunta "crucial" do repórter "criativo":

– Meu *hobby*?!? Ah, eu tenho um preto, mas ele gosta mais quando eu uso o vermelho...

HANDICAP

ANOS 1940, uma senhora milionária, moradora do Morro da Viúva e flamenguista de coração, resolveu dar uma festa para o Flamengo, que acabara de voltar de brilhante excursão pela França. A madame era uma grande fã do artilheiro Perácio, que por isso tornou-se o principal homenageado da efeméride.

Festa muito bonita, todos ali nos salões do luxuoso edifício na praia do Flamengo e o Perácio num canto da sala, caladão. Pirilo, seu companheiro de ataque, aproximou-se e reclamou:

– Pô, cara, a festa é em sua homenagem e você até agora não falou com a madame! Troque ao menos algumas palavras, pergunte algumas coisas...

E arrastou Perácio até a senhora, apresentando-o e praticamente obrigando-o a tirá-la para dançar.

Dois pra lá, dois pra cá, a madame encantada em seus braços, Perácio iniciou um tímido diálogo:

– Bonita festa, hein...

E mais não disse. Diante do silêncio constrangedor, Pirilo, que dançava ao lado, deu-lhe um cutucão, indicando que deveria continuar a puxar papo. Ao que Perácio saiu-se com esta:

– A madame, por acaso, joga sinuca?

Polidamente, a anfitriã disse que sim, mas que não era muito boa no taco.

E Perácio, já animado:

– Pois leva 30 pontos de vantagem e eu jogo com uma mão só...

QUE SINA!

Faleh Kheiber é iraquiano e trabalha como fotógrafo da Reuters. Veterano na cobertura de guerras no seu próprio país, recebeu como prêmio da agência a designação para cobrir os Jogos Olímpicos de Atenas. No primeiro dia da cobertura, acabou escalado para fotografar a competição de tiro. Do estande, ligou, pelo celular, para a mulher, em Bagdá. No meio da conversa, ouvindo o som dos tiros ao fundo, "a patroa" não perdoou:

– Que Olimpíadas, que nada! Te mandaram novamente para o *front*, isso sim! Estou escutando perfeitamente o tiroteio! – disparou, enfurecida.

Sabiamente, o jornalista nem tentou explicar...

◆

Faleh trabalhou em Atenas com o fotógrafo brasileiro Sérgio Moraes, também da Reuters. Como Serginho era escalado constantemente para fazer vôlei de praia ou natação, o iraquiano, sempre que o encontrava repetia:

– Serginho, Serginho, você é que é feliz. Só fotografa mulheres em trajes de banho. E eu só faço cobrir barbados de pistola e fuzil na mão...

Contei essa história na coluna olímpica que fiz de Atenas e recebi, por e-mail, divertida advertência de Fábio Coelho, medalha de bronze na carabina, no Pan de Santo Domingo, em 2003:

"Leitor assíduo de sua coluna, gostaria de comentar que o 'infortúnio' do fotógrafo iraquiano escalado para cobrir o tiro tem lá as suas vantagens. Nos grandes eventos de tiro, a participação feminina é quase igual à dos homens e, em Atenas, devem estar mais de cem atiradoras de todas as partes do mundo.

Como o tiro olímpico não embrutece o físico das mulheres, pode-se encontrar gente muito bonita por lá. E o nosso fotógrafo bem deve saber disso, mas disfarça, pois nas provas de carabina, quando é preciso usar uma vestimenta própria, a mulherada troca de roupa ali mesmo, na linha de tiro, tirando os agasalhos esportivos até ficar só de calcinha e sutiã, na maior naturalidade e indiferença."

Espertinho, esse iraquiano, hein? Deixa a mulher dele saber disso...

BRASIL × ARGENTINA

Piada da hora na internet junta brasileiros e argentinos. Dois torcedores (um de cada país) passeavam num parque, antes do jogo entre suas seleções, pela Copa América. De repente, encontram uma lâmpada mágica e dela, claro, sai um gênio. Este decide, então, conceder um desejo para cada.

Apressado, o argentino pede logo:

– Gênio, construa em volta da Argentina muros altíssimos para que os brasileiros invejosos não venham nos encher o saco!

– Feito – diz o gênio.

E o brasileiro pergunta:

– Gênio, estes muros são sólidos?

– Nada os derruba.

– São altos?

– Ultrapassam até o maior arranha-céu de Buenos Aires.

– Então enche isso tudo de água...

BEM-VINDA, CAMPEÃ!

OS FÃS DO TÊNIS saúdam a sua garota-prodígio. Ela não é mais aquela menininha que começou a chamar a atenção com apenas 14 anos e, com 17, quase fechou o Grand Slam (vencendo Wimbledon e os Abertos da Austrália e dos EUA. Perdeu Roland Garros, num vacilo incrível, derrotada na final pela tcheca Iva Majoli. Martina Hingis está de volta e, ao que tudo indica, para ficar.

É claro que seus resultados num torneio de pouca expressão, como este, de Gold Coast, na Austrália, não devem ser vistos como provas definitivas de que poderá brigar novamente pelos primeiros postos do *ranking* ou pelos principais títulos da WTA.

Mas é impressionante (e elogiável!) a disposição com que tem jogado (e vencido), após três temporadas afastada do circuito profissional.

Na época em que parou, com 22 anos e cinco títulos de Grand Slam, Martina parecia saturada de tudo. As seguidas lesões no tornozelo, a difícil e desgastada relação com a mãe (e técnica) e, acima de tudo, as surras que começou a levar das irmãs Williams (então no auge da forma e da fase "vitaminada" (que diminuiria, nos anos seguintes, à medida que aumentou o controle de anabolizantes no tênis) fizeram Hingis jogar a toalha.

– Ela precisaria "implantar" uns dez centímetros em cada perna, para chegar nas bolas das minhas filhas – ironizou Richard Williams, em entrevista, após Serena "atropelar" Martina, em Key Biscaine/2002, com direito a "pneu" (6/0), no segundo *set*.

Eu estava lá e vi a cara de desânimo de Hingis na entrevista coletiva. Por isso, não me surpreendi quando, ao final daquela temporada, ela resolveu parar. O desencanto da jovem campeã com o tênis, na verdade, começara antes. Mais precisamente em 1999, em outra final de Roland Garros (torneio que até hoje nunca conquistou), contra a alemã Steffi Graf, já em final de carreira. Era o duelo mais esperado no saibro parisiense. Hingis venceu o primeiro set (6/4) e liderava o segundo por 2 games a 0 (já com uma quebra de vantagem) quando aconteceu o momento crucial da partida: uma bola junto à linha, cantada fora, na quadra de Steffi.

Inconformada com a decisão da juíza de cadeira (que fora até o local e confirmara a bola fora), Hingis fez algo nunca visto em Roland Garros: atravessou a quadra e foi do outro lado checar a marca e discutir com Graf, que, germanicamente, se afastou, deixando o bate-boca para sua adversária e a árbitra.

A partir daí, Martina se perdeu: sob vaias da torcida, começou a errar e, irritadíssima, chegou a sacar por baixo ("de colher"), somente para provocar Graf e a platéia. Acabou batida 7/5, no segundo set, e por 6/2, na negra.

Terminado jogo, abandonou a quadra e foi chorar no colo da mãe, nos camarotes, quase não voltando para a cerimônia de premiação – onde Graf deu um *show* de educação, fazendo um discurso carinhosíssimo com Martina e lembrando que ela ainda era muito jovem e teria outras oportunidades em Paris.

Os torcedores e a mídia, porém, não foram tão generosos. A partir daí (embora Hingis ainda se mantivesse como a número 1, em 2000), sua imagem ficou muito desgastada e a simpatia que a cercava desapareceu, como que por encanto.

Quando Venus e Serena Williams surgiram como furacões, jogando com uma potência que parecia fadada a dominar o tênis feminino, Hingis se rendeu.

Ressurge agora, anistiada e revigorada, como uma bela fênix, disposta a bater, ninguém menos que a musa da vez – a russa Maria Sharapova, queridinha dos torcedores e da imprensa.

Acho difícil que seja capaz de tanto. Mas só tentar já é o bastante. Bem-vinda, de volta, campeã!

CONFUSÃO OLÍMPICA

E a velhinha neófita em esportes que se atrapalhou toda com o controle remoto e os quatro canais do Sportv, que transmitiram os jogos ao mesmo tempo, e viu, num deles o locutor anunciar que as ginastas iriam competir no salto sobre o cavalo, quase que ao mesmo tempo que, em outro, começavam as provas de hipismo?

– Mas como é que aquelas pobres menininhas vão conseguir saltar sobre estes cavalos tão altos, meu Deus?!?!

ELOGIO?

Preleção do Vasco, momentos antes da partida com o Palmeiras. Irritadíssimo com o então lateral-esquerdo Felipe (hoje transformado em meio-campo), o técnico Antônio Lopes dispara a metralhadora giratória:

– Tem jogador que pensa que é craque e, por isso, pode ficar chupando o sangue dos outros e correndo menos – fuzila, olhando para o seu alvo.

– Exemplo aqui é o Amaral – prosseguiu, fazendo com que todos se virassem para o cabeça-de-área que, surpreso, chegou até a ficar inchado de orgulho.

– O Amaral, sim! – continuou o treinador. – É limitado tecnicamente, meio perdido taticamente, mas, pelo menos, corre, sua a camisa e dá o sangue pelo time...

Por pouco não houve uma gargalhada geral. E o Amaral, coitado, não sabe até hoje se foi elogiado ou esculachado...

GOL DO BANCO!

Dia de Brasil × Argentina sempre me lembra deliciosa história de meus tempos de repórter, num jogo também de Copa América, que marcou a estréia de Diego Maradona, no Maracanã. Narrava a partida, pela Rádio Globo, o saudoso Waldyr Amaral, uma das vozes mais marcantes da época.

Tudo pronto para rolar a bola, Waldyr, já em final de carreira, se atrasa um pouquinho na leitura dos comerciais e dos *slogans* da emissora:

– Um vendaval de bandeiras saúda a entrada da seleção em campo! Lobo não come lobo, Brasil e Argentina é na Rádio Globo...

E assim ia, repetindo os seus consagrados bordões e lendo as "papeletas" de anúncio, quando a bola rolou. Neste momento, o locutor começava a fazer a propaganda do Bradesco.

Eis que, num ataque fulminante, o ponta-esquerda Zé Sérgio vai à linha de fundo e cruza: Zico se antecipa a Fillol e toca para a rede, com menos de um minuto de partida.

E o Waldyr lá de cima:

– O Bradesco financia.... GOOOOOLLLLL!

Teve muita gente pensando que o banco abrira uma linha de financiamento para o novo carro da Volks... Grande Waldyr Amaral! Grande locutor, grande figura!

CHAMANDO O RAUL

Uma das provas que mais me divertem nos Jogos é a Marcha, aquela andadinha rápida e nervosa, em que o atleta sai rebolando, porque não pode tirar os dois pés do chão ao mesmo tempo. Durante as Olimpíadas de Atenas, assisti à prova da marcha de 20 km, na sala de imprensa, pela TVE (a TV espanhola).

Detalhe 1: A Espanha tem grandes marchadores. E eles eram candidatíssimos a medalhas.

Detalhe 2: O desempenho dos atletas espanhóis, de uma maneira geral, na Grécia, vinha sendo duramente criticado pelos jornais de lá.

A marcha era uma grande esperança. E Francisco Javier Fernandez acabou com a prata, animando a TV espanhola:

"Espanha conquista a medalha de prata!!!", festejavam, elogiando o marchador, quando, de repente, ele se curva e, bem diante das câmaras, começa a vomitar:

"Fernandez vomita! É o esforço olímpico! O vômito olímpico..."

E a TV insistia em mostrar o pobre coitado, exaurido, "chamando o Raul" sem parar:

"O vômito de prata...", arriscou o comentarista espanhol.

Mudei de canal. Como diria a minha filha, ECA!!!!!

FILOSOFIA

Reflexão filosófico-existencial de Renato Gaúcho, colhida pelo repórter Márcio Tavares, num depoimento emocionado em que o craque (hoje em dia, técnico) agradecia a Deus ter recebido muito mais do que pedira em toda a vida. Apesar disso, Renato tinha uma pequena queixa:

– Deus me deu duas orelhas, dois olhos, dois braços, duas mãos, duas pernas e dois pés. Mas o "bráulio" é um só... Não é um desperdício???

APITA, COSENZA!

NO INÍCIO DA CARREIRA, o árbitro Júlio César Cosenza foi designado para arbitrar a decisão do Campeonato do Departamento Autônomo do Rio de Janeiro (Campeonato da Federação Carioca de Futebol). O jogo era entre Oriente e Pavunense, no bairro de Santa Cruz, no campo do Oriente. O time da casa jogava pelo empate para a conquista do título.

No primeiro tempo o placar não foi movimentado. No segundo tempo, já no final, ainda com o zero a zero, o Pavunense atacava com ímpeto e o Oriente defendia-se. Num lance rápido, o zagueiro do Oriente deu uma rebatida longa para o seu ataque e o árbitro encontrava-se próximo à área do Oriente, longe, portanto, da jogada. Na rebatida, a bola sobrou para um atacante do time da casa que entrava livre com chance de marcar o gol. Neste momento, veio correndo na direção do juiz o auxiliar, Idão Marinho. Vinha desesperado e gritando:

– Apita Cosenza, apita Cosenza!

Assustado, ele apitou e parou a jogada. E o bandeira lhe explicou, então, o que acontecera: quando se preparava para marcar o impedimento, um torcedor, com certeza do Oriente, arrancou-lhe a bandeirinha da mão...

MÁQUINA IGNORANTE

Discussão no vestiário do Fluminense, nos tempos da "Máquina". O lateral-esquerdo Marinho Chagas, o Bruxa, e o ponta-direita Cafuringa já estão quase chegando às vias de fato, quando surge o presidente Francisco Horta:

– Doutor Horta, esse Marinho é uma besta! Tô dizendo que o maior general do mundo foi o Napoleão e ele teima em dizer que não...

– Que Napoleão, que nada, doutor Horta. Explica pra esse animal do Cafuringa que o maior de todos foi o Bonaparte.

Salomonicamente, Horta preferiu não entrar em detalhes:

– Foram os dois, meus craques, os dois...

GÊNIO DE COMERCIAL

Final do treino no Fla-Barra, o lateral-direito Maurinho apanha no armário do vestiário uma latinha de guaraná. Abre o refrigerante e... CABUM! Surge aquele gênio mala dos anúncios da TV:

– Sabe, gênio, eu queria ser aquele escurinho que, na Copa do México, encantou o mundo, fazendo golaços com a camisa do Brasil – pede o cabeça-de-bagre, cheio de esperança.

CABUM! O gênio atende ao pedido e o jogador corre para se olhar no espelho:

– Pô, gênio, mas eu virei o Josimar!!!

E o gênio, balançando a cabeça, como no comercial:

– Tem gente que não sabe pedir...

PELADA E GUERRILHA

RÔMULO MONRO antecipa uma história curiosa que promete contar no seu próximo livro. Um "causo" de futebol e guerrilha:

"No dia 7 de dezembro de 1970, o grupo guerrilheiro Vanguarda Popular Revolucionária seqüestrava o embaixador suíço Enrico Bucher. O grupo lutava contra o regime militar e exigia a libertação de 70 presos políticos.

Por trás do seqüestro estava o capitão Carlos Lamarca, que desertara do exército e passara a ser o homem mais procurado do país. Para os militares, sua morte se transformara numa questão de honra.

O embaixador estava escondido numa casinha no subúrbio de Honório Gurgel. Além dele, o único que nunca aparecia para fazer fachada era o capitão Lamarca. As semanas foram se passando e um belo dia os guerrilheiros escutaram barulho de bola bem em frente à casa. Era o capitão Lamarca jogando uma pelada com os moradores daquela bucólica rua!

Logo que terminou a partida ele foi interpelado pelos guerrilheiros:

– O senhor ficou louco? Procurado no país inteiro, vivo ou morto, e resolve jogar bola com a vizinhança? E se alguém o denuncia?

Com a mesma tranqüilidade com que acabara de marcar uns golzinhos, o capitão responde:

– E quem vai acreditar?

UM SÓ REI!

Uma, dos anos 1960: O Flu enfrentaria o Santos de Pelé, no Maracanã, e seu treinador, Elba de Pádua Lima, o Tim, velha raposa do futebol e excracaço de bola, se dizia tranqüilo:

– Vou mandar o Rei Zulu colar no Pelé – segredava aos jornalistas.

Aos mais jovens, uma explicação: Rei Zulu era o apelido dado pelo saudoso (e genial) cronista tricolor Nélson Rodrigues ao cabeca-de-área Denílson, do Flu.

Um ótimo jogador.

Chega o dia do jogo, e o primeiro tempo termina com o Tricolor vencendo por 1 a 0 e Pelé totalmente anulado em campo. Lá pela metade do segundo, ao receber um passe na intermediária, o camisa 10 do Santos faz o corta-luz e Denílson, grudado a ele, nem vê a bola passar por entre as próprias pernas.

Disposto a recuperar-se, o Rei Zulu investe, bufando e leva outro drible por debaixo das pernas. Até a torcida do Flu aplaude. Sem graça, ele afrouxa na marcação a Pelé, que, livre, dá dois passes preciosos para a virada santista.

Já no vestiário, furibundo, restou a Tim desabafar com o massagista:

– Eu logo vi que essa história não daria certo.

– A marcação individual sobre o Pelé? – pergunta o outro.

– Não, essa história de Rei Zulu. Isso é muito bom pra filme de King Kong e do Tarzã. No futebol só há um rei. O Rei Pelé...

ACELERA, CAPETINHA!

O CRAQUE BAIANO desfilava pelas ruas de Salvador a bordo de sua Mercedes, ao lado de uma louraça belzebu. De repente, o sinal fecha, ele pára e o seu celular toca. Era a sogra, pedindo para falar com a filha:

– Ah, dona fulana, ela não está comigo, não. Estou na rua – responde ele.

– Estou vendo, pois estou parada atrás de você no sinal. Então quer dizer que essa mulher aí do seu lado não é a minha filha?!?! – dispara a jararaca.

– Ih, dona fulana, a senhora deve estar enganada. Não sou eu, não – tenta escapar o don-juan.

– Como não? Estou atrás do seu carro, vendo a sua cabeça. Esqueceu também que eu sei a sua placa?

O sinal abre e o jogador pisa fundo:

– Ih, dona fulana, não estou com o meu carro, não. Emprestei a um amigo, que é muito parecido comigo. A senhora nem conhece. Estou do outro lado da cidade. Mais tarde a gente se fala, tá? Tenho que desligar...

O próprio jogador foi quem contou a história, rindo e comentando, com um suspiro de alívio:
– Ainda bem que a minha Mercedes anda bem mais que o Corsinha da velha! Já imaginou se ela consegue emparelhar???

RELATIVIDADE

Copa de 1994, toca o telefone celular de um jornalista amigo de Romário. Do outro lado da linha, o Baixinho o convida para um passeio em São Francisco:
– Vamos nessa, "peixe"? Estou com uma gatinha e ela tem uma prima.
Precavido, o convidado quer saber se a companhia vale a pena. E Romário, sem dó, nem piedade:
– Pra você, tá muito bom!

VEIA PRESIDENCIAL

O companheiro Gustavo Henrique de Souza conta a história do dia:
"O jogo entre os rivais Anu Branco e Irapuru (o *derby* do futebol amador do município de Barra Mansa) corria quente. As jogadas eram bem disputadas. Até que o volante do Anu, Marreta, recebe uma cotovelada e cai no gramado.
O médico entra e vai logo perguntando ao jogador:
– Onde ele acertou?
– Foi na J#$%, doutor... – balbucia o volante, com os dentes cerrados.
– Onde????
– Na J#*# G#*, doutor! – tenta dizer, ainda com enorme dificuldade.
– Fala direito que eu não estou entendendo nada! – grita, irritado, o médico.
– Doutor, ele me acertou naquela veia, a João Goulart!!! – consegue, enfim, se "explicar" o boleiro...

VINGANÇA DE JUIZ

Corria a década de 1980, e jogavam, em Piracicaba, o Noroeste e o XV local. Apitava José de Assis Aragão e, no ataque do XV, o já veterano Enéas (ex-Portuguesa e Palmeiras) pintava e bordava, jogando a enfurecida torcida contra o árbitro.

Era jogo decisivo para o rebaixamento, e tome de Enéas simular faltas e os torcedores se irritarem com o árbitro, que, apesar de atuar bem, só pôde deixar o estádio horas mais tarde, escondido na caçamba de um camburão.

Revoltado, o também juiz (e policial) Dulcídio Vanderley Boschilia tomou as dores do parceiro:

– Quando é a próxima partida do XV, fora de Piraciba? Quero apitá-la.

E foi feita a sua vontade. Momentos antes de a bola rolar, Boschilia chama o becão do time da casa e lhe cochicha ao ouvido:

– Na primeira jogada, você acerta o Enéas pra quebrar. Senta o pau!

E o zagueirão, temeroso:

– O que é isso, seu juiz? Assim eu sou expulso!

– Eu te expulso é se você não fizer o que eu estou mandando...

Mal rola a bola, Enéas recebe um passe alto, na intermediária. Estufa o peito, para matar a pelota e.... BUUUMMM! Leva uma traulitada nas costas, desferida pelo tal beque.

Dulcídio passa por ele e faz o tradicional gesto de mão para que se levante:

– Vamos que não foi nada – ainda ironiza.

– Mas como? O cara me deu um bico nas costas! – choraminga Enéas.

E Boschilia pára a partida e lhe dá o amarelo.

– Cartão? Por quê?!?

É o bastante para levar o vermelho, pela pergunta. Saindo de campo, Enéas reclama, num muxoxo:

– Mas eu não fiz nada...

E Dulcídio Vanderley Boschilia, com um sorriso irônico no rosto:

– Agora, não. Mas isso é pelo que você fez com o Aragão em Piracicaba...

◆

Outra de arbitragem que, como a anterior, me foi contada por Renato Marsiglia.

Jogavam, em Bagé, Internacional e Guarani (local) e apitava Agomar Martins – baixinho invocado mas também conhecido por sua tendência a acomodar as partidas e os resultados.

Estadiozinho lotado, torcida enlouquecida, a zaga do Guarani baixando a bordoada. Com cerca de 15 minutos de partida, o centroavante do Inter, já todo moído, se aproxima de Agomar e se queixa:

– Olha aí, seu juiz! Já estou com o supercílio aberto, as canelas esfoladas, levei várias cusparadas no rosto, socos nas costas, é agressão de tudo quanto é jeito. E sempre quando o senhor está aqui no meio-campo. O que eu faço?

E o Agomar, na maior cara-de-pau:

– Fica por aqui, pertinho de mim, no meio-campo, que eu te protejo. Agora se você insistir em jogar enfiado, lá no meio das feras, não posso fazer nada. Fica aqui pertinho que eu te garanto que ninguém vai te relar um dedo...

O jogo? Terminou 0 a 0...

PÉROLAS OLÍMPICAS

O Pan-americano está chegando e com ele a provação de muitos jornalistas esportivos que se acostumaram (ou se acomodaram?) apenas com a cobertura do futebol. Algumas destas deliciosas "furadas" dos nossos "trepidantes" já fazem parte do folclore da imprensa, como o espanto do fotógrafo Manoel Cebola, quando João Carlos de Oliveira bateu o recorde mundial no salto triplo.

Era o Pan de 75, e a notícia acabara de chegar da Cidade do México. Festa na redação, no Rio, até que alguém percebe, em um cantinho, o Cebola proferindo sonoros palavrões, enquanto olhava insistentemente do chão para o teto, tentando calcular em "altura" os 17,89 m que João do Pulo saltara...

◆

Outra delícia do tipo é contada no livro *Esses repórteres*, de Luiz Amaral. Adhemar Ferreira da Silva acabara de ganhar a medalha de ouro no salto triplo, saltando 16,22 m nas Olimpíadas de 52, em Helsinque, Finlândia. O repórter chega correndo e pergunta, entusiasmado:

– Qual foi o seu tempo, Adhemar?

E o campeão responde, indignado:

– Não salto tempo, não, salto espaço!

◆

O jornalista Vital Battaglia me contou a deliciosa história que se segue. Já aposentado, Adhemar Ferreira da Silva (uma das maiores glórias do atletismo brasileiro) foi fazer uma palestra para empresários. Papo vai, papo vem, um deles lhe perguntou:

– Acompanho sua carreira e seus feitos, mas tenho uma grande curiosidade. Se seu nome é Adhemar, por que diabos o chamam de João do Pulo?

Pobre Adhemar! Embora João Carlos de Oliveira, o João do Pulo, o tenha sucedido, com brilho, no salto triplo, não chegou a igualar os seus feitos. Além de recordista mundial, Adhemar conquistou o ouro olímpico em dois Jogos consecutivos: Helsinque/52 e Melbourne/56. Recordista mundial no Pan-americano do México (75), João do Pulo ganhou duas medalhas de bronze em Olimpíadas: Montreal/76 e Moscou/80.

FUTEBOL DO ALÉM

DOMINGO É DIA de contar "causos". Com a palavra um dos meus melhores fornecedores: Victor Kingma:

"O futebol era paixão na pequena Sotéria do Norte. Aos domingos, a cidade parava para assistir às pelejas no 'Caveirão', o nome do campo vinha da proximidade do cemitério local.

No passado, dois coronéis da região, vizinhos de terra e arquiinimigos políticos, viviam às turras. Um deles, eleito prefeito e sabendo que o vizinho odiava futebol, mandou construir o estádio na divisa das duas fazendas, só para provocar o inimigo.

Tempos depois, com a mudança do comando político, o outro vingou-se: doou à Prefeitura o terreno para a construção do cemitério, exatamente nos fundos do campo, a grande obra da administração do rival.

A cidade se divertia com a briga. Um dos times locais passou a se chamar 'Caveirinha', em clara alusão ao cemitério. E os locutores soltavam suas pérolas:

'O chute saiu todo torto! E a bola caiu lá no túmulo da Beata Carlota!'

Ou então:

'A redonda passou rente ao ângulo e explodiu na torre do necrotério!'

Às vezes, porém, surgiam imprevistos: como ter que paralisar o jogo para que passasse um enterro.

Havia, porém, algumas conveniências. Por exemplo: Zé Coveiro – um sujeito magro, com uma longa barba, e cujo nome denunciava a profissão – nos dias de jogos fazia um extra, trabalhando como gandula. Era extremamente útil. Ainda mais quando a bola caía no seu local de trabalho.

No dia em que o 'Caveirinha' enfrentaria o time de Jacutinga, da cidade vizinha, Zé Coveiro, porém, não apareceu. Com o Caveirão lotado, a peleja começa sem gandula.

Quando a bola saía pela lateral ou pela linha de fundo (onde ficava o cemitério), os próprios jogadores tinham que buscá-la. E a tardinha ia caindo...

Foi então que, num chute mais forte do atacante Canhoteiro, do 'Caveirinha', a bola transpôs o muro do cemitério e sumiu.

Os jogadores do time visitante, que perdia, apressaram-se em correr para recuperar a bola. Entrando pelo portão central do cemitério, acabaram perdidos em meio ao matagal e às ruínas de sepulturas. E nada da bola...

Eis que de repente ouve-se um barulho! A tampa de uma tumba se abre e de dentro dela sai Zé Coveiro, sem camisa, cabelos despenteados e barba revolta, na maior ressaca do porre da véspera.

– Quanto tá o jogo? – perguntou, com voz pastosa e arrastada.

O time inteiro do Jacutinga saiu em disparada! E o jogo não acabou. Por absoluta falta de jogadores..."

TROCA DE INFORMAÇÕES

Essa ocorreu em um jogo de várzea em Serra Negra, interior de São Paulo. No meio de uma confusão, o juiz chegou para quatro jogadores briguentos e mostrou-lhes o cartão vermelho. Ao virar as costas, ouviu de um deles:

– Juiz corno!

Como não sabia de quem partira a ofensa, o árbitro continuou caminhando e retrucou:

– Sou corno, mas eu sei que sou, mas tem gente aqui que é e não sabe...

Ao final da partida, um dos expulsos se dirigiu ao árbitro, muito discretamente, e lhe perguntou:

– O que o senhor sabe da minha mulher?!?

NA MARRA

Copa de 1978, na Argentina, disputa do terceiro lugar entre Brasil e Itália, metade do segundo tempo, jogo empatado em 1 a 1. Rivelino, no banco de reservas, se levanta por iniciativa própria e começa a dar piques à beira do gramado.

– E aí, treinador, quem vai sair? – pergunta ao técnico Cláudio Coutinho.

O "capitão" resolve tirar Cerezo e, meio sem jeito, vira-se para o banco e comenta baixinho:

– Opção tática, opção tática!

E após uma jogada de Riva, Jorge Mendonça matou no peito, o falecido Dirceuzinho fez o gol da vitória e o Brasil se sagrou "o campeão moral"...

EXEMPLO FATAL

Preocupado com a fama de boêmio beberrão de seu principal jogador, o presidente do clube contratou um renomado médico para fazer uma palestra na concentração e falar dos malefícios do álcool.

Reunido o elenco, o doutor tirou de sua maleta dois frascos e colocou em cada um deles líquidos transparentes:

– Isso aqui é água! – disse, ao encher o primeiro vaso. – E isso aqui é álcool! – explicou, enquanto abastecia o segundo.

Logo em seguida, retirou, também da valise, outro pote com dois vermes compridos, que pareciam minhocas.

– Vejam o que acontece com este que jogarei no copo com água...

E lançou o bicho, que, feliz da vida, saiu nadando qual uma cobra coral.

– Agora, reparem com atenção o que se dará com o outro.

E atirou o segundo verme no vasilhame com álcool. A minhoca se contorceu alucinadamente e logo morreu. Professoral, o doutor se vira para os jogadores e pergunta:

– Qual é a conclusão?

E o craque-bebum, mais do que rapidamente:

– Quem bebe jamais terá vermes!

Foi aplaudido de pé pelos companheiros...

MEIO A MEIO

Voltando de uma de suas muitas noitadas, o ponta-direita Marinho, do Bangu, dirigia o seu Mercedes prateado na avenida Brasil quando, na altura de Realengo, um pneu estourou. Ele encosta o carro e, apanhando o macaco na mala, começa a retirar a roda. Eis que surge um sujeito mal-encarado, de moto, que, estacionando ao lado do carrão, dispara com voz cavernosa:

– Aí, negão, você já está roubando as rodas de liga leve, eu vou ficar com o toca-fitas, tá legal?

COMANDANTE "JOÁU"

CONVERSANDO COM uma amiga que viajou para a Espanha, via Peru (não me pergunte o porquê), acabei recordando divertida história dos meus tempos de repórter. Falávamos sobre companhias aéreas (ela iria pela Avianca) e me lembrei de uma viagem que fiz pela LAB (Linhas Aéreas Bolivianas), no ano de 1981, durante a vitoriosa campanha do Flamengo na Taça Libertadores. O jogo seria em Cochabamba (contra o Jorge Wilsterman), e jornalistas e jogadores viajavam no mesmo avião da já citada companhia da Bolívia. Na sala de embarque, o assunto era este. Quase ninguém havia voado pela LAB antes:

– Será que os aviões são novos? E os pilotos, experientes? – queriam saber alguns jogadores e repórteres conhecidos pelo medo de voar.

Mal embarcamos, o inesquecível João Saldanha, com o seu conhecido ar professoral (referendado, no caso, por décadas de viagens aéreas mundo afora), começou uma pequena "aula" para os medrosos que estavam ao seu redor:

– A LAB tem equipamentos até mais modernos que os da Varig. E os pilotos bolivianos são bons....

Todos já começavam a relaxar quando veio a ressalva do João:

– Mas há um porém...

Respiração suspensa, aguardamos o "porém":

– Muitos dos pilotos demitidos da Varig, por imperícia ou má conduta, acabam na LAB. Tomara que o piloto seja boliviano! – disse, com um ar maroto.

Embarque finalizado, decolagem autorizada, a aeromoça dá as boas-vindas pelo serviço de som:

– *Buenos dias, señoras e señores, la equipo del comandante "Joáu" les dá las bienvenidas...*

Pânico a bordo. "Joáu"??? Só podia ser brasileiro! Não deu outra. Tão logo o avião se estabilizou, a uns 10 mil metros, o comandante apareceu, sorridente. Parou, é claro, para conversar com Saldanha, que, moleque, piscava, como a dizer:

– Dançamos...

O cara até que era simpático, mas, após uns cinco minutos de vôo e de prosa, eis que a aeronave estremece violentamente, ouve-se um barulho nas turbinas e, ato contínuo, se acendem as luzes de "*abrochar cinturones*" (apertar cintos).

E o primeiro a obedecer a ordem (sentando-se conosco!) é o comandante João, que, ar apavorado, aguarda até o pássaro metálico se acalmar. Em seguida, se levanta rapidamente e segue para a cabine de comando.

– Mas, comandante, o que houve? – ainda lhe pergunta João Saldanha:

– Espero que aquele imbecil do meu co-piloto não tenha feito o que acho que ele fez – respondeu, antes de desaparecer de vista.

O que o tal co-piloto fez nunca se soube. Fato é que o restante da viagem transcorreu tranqüila e, embora apavorados, sobrevivemos. Era mesmo uma equipe abençoada pelos deuses, aquele Flamengo de Zico e Cia. Capaz de resistir até ao "Comandante Joáu" e seu desastrado co-piloto...

OPS...

Na Vara de Família, a loura oxigenada explicava ao juiz por que resolvera se separar do artilheiro:

– O que seu marido disse quando acordou naquela manhã?

– Ele falou: "Onde estou, Sheila?"

– E por que você se aborreceu?

– Meu nome é Vânia...

ESTRANGEIRO

Brasil × Atlético Mineiro, 1969, no Mineirão: as feras de Saldanha contra o Galo do Homão Yustrich. Times perfilados, começa o hino nacional, e quando parte da torcida do Atlético se levanta, um negão do tamanho de um armário rosna do meio da galera:

– Senta, que hoje esse é o hino DELES...

CORONEL EM CAMPO

DISPUTAVA-SE A DECISÃO do campeonato rural do nosso município. Jogo duro, empatado até o finalzinho, quando o atacante do time visitante invade a área e tenta driblar o goleiro. Sem saída, o guarda-vala (cáspite!) atira-se aos pés do artilheiro adversário e o derruba. Incontinenti, o juiz trila o seu apito!

– Pênalti! – desespera-se a torcida local, já imaginando o pior. E o juiz vai mesmo se dirigindo para a marca fatal quando da encosta do morro, onde os torcedores assistem ao jogo, irrompe o coronel da região a cavalo, brandindo um reluzente revólver prateado.

– Vossa senhoria marcou o quê? – pergunta, em tom ameaçador.

– Falta no goleiro! – responde rapidamente o pálido árbitro.

E ainda deu cartão amarelo para o atacante – por simulação...

◆

O mesmo coronel, em outra partida, preferiu método diferente. Pênalti marcado contra o seu time, e ele mal se mexeu do lugar de onde assistia ao jogo.

Eis que o zagueiro adversário, dono de medonha canhota, corre para cobrar, mas, segundos antes de tocar a bola, ouve-se no campo um estampido.
Ainda assim, o cobrador enche o pé e a "gorduchinha" rola apenas uns dois metros, murchinha, murchinha... Furada a bala!

SINCERIDADE BERRANTE

Jogavam Cruzeiro e Atlético, nos tempos em que Felipão dirigia o "Trem Azul". Aos 42 minutos do segundo tempo, o Galo mineiro vai vencendo, quando o apoiador Jackson, do Cruzeiro, chega à linha de fundo e cruza... no pé de Galeano, zagueiro do Atlético. Irritadíssimo, Luiz Felipe Scolari urra da "área técnica", junto à lateral:

– Ô Jackson, ô Jacskon, meu filho, venha cá!

O jogador corre, certo de que ouviria uma instrução, e Felipão apenas berra no seu ouvido:

– VOCÊ É MUITO RUIM!!!

ESCORREGANDO NA LÍNGUA

O ano era o de 1968. O local, Brasília. O jogo era do E.C. Carioca (que já fez parte até da Loteria Esportiva) contra o antigo Gama. Muita chuva e campo enlameadíssimo. Jogo duro! O lateral do Carioca começa a se mandar para a frente, deixando um buraco às suas costas. De repente, "seu" Clarindo, o técnico do Carioca, já desesperado com as arrancadas do ponta-esquerda, grita para o lateral:

– Arrecroa, arrecroa, infeliz! Não vê que o campo está todo "escorregoso"???

O VERDADEIRO HOMEM-ARANHA

DÉ, O ARANHA, foi um dos jogadores mais criativos que vi jogar nos meus tempos de repórter setorista de clube. Sempre nos demos muito bem, e por isso recebi com alegria o simpático e-mail em que ele me conta que está embarcando para Dubai, onde dirigirá a equipe do Emirats Club. Além de ótimo jogador, Dé revelou-se excelente técnico das divisões de base do Botafogo.

Lá, ele conquistou inúmeros títulos nas categorias inferiores e até hoje não entendi por que muitos desses garotos não conseguiram se firmar no time de cima.

Na volta de Dubai, Dé lançará o seu livro *As estórias do Aranha*, com os casos mais pitorescos de sua carreira. Presenciei alguns. Vale recordá-los.

1. Em um Flamengo × Bangu, Dé, em início de carreira, era marcado pelo zagueiro paraguaio Reyes, um senhor cracaço, que lhe dava pouquíssimas chances.

Exausto, Dé se aproxima da lateral e pede ao massagista uma pedra de gelo para chupar e matar a sede, diminuindo o cansaço.

Ainda a tinha nas mãos quando, ali, perto, Reyes corta um lançamento (para o ponta Aladim) e, cheio de categoria, empurra a bola um pouco à frente, erguendo a cabeça para ver para quem faria o passe.

Nesse exato instante, Dé se aproxima e arremessa o gelo contra a bola. Acerta-a em cheio e a pelota se desloca alguns centímetros. O suficiente para que Reyes chute o ar e Dé, rápido como um raio, roube-lhe a bola e, livre, faça o gol.

2. Jogavam Vasco e Bangu. Na época, o Aranha defendia o time de São Januário. Em dado momento, o juiz Nivaldo dos Santos expulsa o violento zagueiro Renê, seu companheiro. Revoltado, Dé reclama. Recebe o amarelo e, num rápido movimento, tira o cartão das mãos do árbitro e o rasga... a dentadas!

– Nem esperei pelo cartão vermelho. Dei as costas e fui saindo...

Expulso, claro.

3. Bangu × Vasco. Aí, Dé era do Bangu. Último minuto, córner a favor da equipe de Moça Bonita. Aladim alça a bola, e Dé, que

estava abaixado, apanha um punhado de areia da marca do pênalti e o arremessa nos olhos do goleiro vascaíno Andrada. Gol vazio, ele testa, define a partida e foge:

– O time do Vasco inteiro veio correndo atrás de mim – diverte-se ele.

4. Enfrentando o América, Dé era caçado pelo zagueiro Tião. Irritadíssimo, avisa ao banco que vai à forra. O técnico Flávio Costa trata de substituí-lo, para evitar a expulsão. Dé deixa o gramado, mas, antes que o seu substituto entre, dá meia-volta, retorna correndo e acerta violento soco em Tião. É expulso...

– Mas pelo menos saí com a alma lavada!

Tremenda figuraça, o Dé.

A MARRA DO COITÉ

Coité era um goleiro marrento. Jogava no Nacional de Ricardo de Albuquerque e, apesar das grandes defesas que fazia, levava à loucura o técnico Quarentinha. Este, para ganhar a vida, trabalhava também como vendedor na extinta Sapataria Liége, na rua Mariz e Barros, na Tijuca.

Certo dia, na partida decisiva do campeonato da Zona Rural, eis que o juiz apita um pênalti contra o Nacional, que jogava pelo empate para conquistar o título. O encarregado da cobrança foi o beque central do time adversário. Temido pela medonha bomba que tinha nos pés, o brutamontes corre para a bola e dispara seu canhão.

Elasticamente, Coité pula e defende com firmeza. Alegria na torcida do Nacional, desespero entre os torcedores adversários. Eis que o goleirão, para surpresa geral, rola a bola mansinha na direção do batedor, que ainda estava desolado, na marca do pênalti:

– Chuta de novo que tu não és de nada e eu vou pegar outra vez!!!

Na tribuna, o presidente do Nacional leva a mão ao coração e começa a passar mal. Na arquibancada, a torcida fecha os olhos. Pois não é que o zagueirão senta a botina, mas Coité volta a defender!?!

No vestiário em festa, o goleiro é procurado pelo presidente do clube (e maior "coronel" do lugarejo). Ainda arfando e apavorado com a ameaça de infarto, o cartola cardíaco sussurra baixinho:

– Ponha-se daqui pra fora!!! Meu time não é circo e eu não sou palhaço!!!

E nunca mais se ouviu falar do marrento Coité naquelas redondezas...

REPÓRTER "SORTUDO"

MEU VELHO COMPANHEIRO PC Guimarães relembra uma história impagável dos nossos tempos de repórter na rua Irineu Marinho:
"Eu vi. Ninguém me contou. Convivi n'*O Globo* com uma figuraça de um repórter chamado Luis Carlos Sarmento. Um doido, gozador, chegado a umas, digamos assim, mentirinhas 'sadias'.
Brincava dizendo que pretendia se candidatar a político e que já tinha até um *jingle*. E cantava, para desespero de quem estava ao seu lado:
– Não quero militar nesse governo, brigadeiro, almirante ou sargento. Eu quero é Luis Carlos Sarmento! – e se escangalhava de rir com a gracinha.
Bebia muito. Ou melhor, bastante. Ou, melhor ainda, exageradamente. Para ser mais exato: alucinadamente. Bebia tanto que, nos dias de pagamento, a mulher ia buscá-lo na redação do jornal. Detalhe: para os dois beberem juntos.
Certa noite, Milton Coelho da Graça, conhecido por gostar de suitar matérias no meio da noite, chega diante do 'mesão' na antiga redação de *O Globo* e determina:

– Nasceram heptagêmeas na Noruega. Vamos repercutir. Quero ouvir mães.

Ao lado de Patrícia Nolasco, também intimada a repercutir o telegrama, ainda tentei questionar:

– Mas, Milton, é mais de meia-noite! Onde é que a gente vai conseguir mães para dar declaração?

– Peguem o catálogo, peguem o catálogo. Ou querem que eu faça isso?

E fez o gesto de quem ia mesmo procurar o catálogo. Antes, bem ao seu estilo, falou com o Ely Moreira, chefe de reportagem:

– Chefe, quando o Sarmento acabar o que está fazendo, ponha-o para ajudar os dois.

De longe, Sarmento acenou com o polegar. Já estava pensando em ligar para as mães de alguns amigos quando Sarmento se levantou, entregou a matéria que acabara de apurar e sentou-se. Dois minutos depois, sem completar mais que uma ligação, levantou-se e foi para a máquina de escrever. Já estava no quarto depoimento, quando indaguei:

– Sarmento, o que é isso? Eu e a Patrícia já estamos tentando há mais de meia hora e ainda não conseguimos ouvir ninguém. Você senta, dá um telefonema e já está no quarto depoimento?!?

E o Sarmento, sério, mas sem esconder o sorriso:

– Pô, PC, você não vai acreditar. Dei a maior sorte. Telefonei e era uma festa de crianças. As mães foram fazendo fila do outro lado da linha para falar comigo...

Anos depois, contei essa história para o Milton, que morreu de rir.

TESTAMENTO

A piada chegou pela internet:

O médico pergunta ao paciente idoso e milionário, que estava testando um aparelho auditivo – o homem era quase surdo:

– E aí, gostou do aparelhinho? Surtiu efeito?

– É muito bom, excelente! O resultado foi surpreendente – conta o senhor.

– E a família, gostou?

– Ainda não contei pra eles. Mas já mudei o meu testamento três vezes...

SAUDADES

NAQUELE TEMPO a TV ainda era preto-e-branco, e o Santos, o melhor time do mundo. Por isso mesmo, quando meu pai se sentou diante da TV da sala para que assistíssemos juntos, diretamente do Mineirão, ao primeiro jogo da decisão da Taça Brasil de 1966, seu comentário só fez aumentar o meu interesse pela partida: "Chegou a hora de ver se esses garotos são bons mesmo!"

Os "garotos" eram Tostão, Dirceu Lopes, Piazza, Raul e Cia. Já tinham conquistado Minas, mas, numa época em que a aldeia ainda não era tão global assim, somente naquela final contra o Santos de Pelé, Carlos Alberto, Toninho Guerreiro, Zito, Dorval e outros passariam por uma verdadeira prova de fogo.

Já lá se vão muitos anos e, confesso, as imagens que encantaram o garoto de 13 anos, que eu era, naquela noite, já se esmaeceram quase que por completo.

Mas ainda está clara na minha memória a expressão de espanto do meu saudoso "velho" diante da implacável (e absolutamente surpreendente) goleada de 5 a 0, aplicada pelos "mineirinhos" no "melhor time do mundo" – e isso em apenas 45 minutos!

Recordo também do ar de incredulidade do goleiro santista Gilmar – bicampeão mundial – ao ir buscar pela sexta vez, já no segundo tempo, a bola no fundo das suas redes! O jogo terminou 6 a 2!

– Ah, mas em Santos deve ser bem diferente – ainda comentou o meu pai, antes de ir dormir.

E foi mesmo. Avassalador, o esquadrão de Pelé abriu logo 2 a 0, no primeiro tempo da segunda partida, levando o "velho" a me cutucar, sorrindo:

– Não te disse, Alemão?

Era assim que ele – e só ele! – me chamava. Mas não é que, após o intervalo, o Cruzeiro empatou e, no finalzinho, o ponta direita Natal ainda marcou o gol da vitória, por 3 a 2, em pleno Pacaembu?

– É, Alemão, que categoria! Esses mineiros batem um bolão mesmo! Que final! – concluiu meu pai.

Que final, relembro eu agora, com saudade e expectativa por esse novo confronto entre Santos e Cruzeiro, que infelizmente não será a final.

Trinta e sete anos depois, eles voltam a ser os melhores times do país e se enfrentam amanhã num clássico a que, com certeza, assistirei emocionado.

Já não terei do lado o "velho", nem saberei, no apito final, quem é o campeão.

Em compensação, convoquei para ver a partida comigo a minha filha de 13 anos, rubro-negra de coração, mas que, desencantada com a atual fase do Flamengo, a cada dia que passa se torna mais uma fã entusiasmada do futebol de Diego e Robinho.

Tomara que possamos viver juntos, neste sábado, emoções como as que senti naquelas duas noites inesquecíveis, diante da telinha, ao lado de papai.

◆

Relembro o "velho" e começo a rir sozinho, recordando também a revolta dele, naquela mesma época, com alguns medíocres times rubro-negros:

– Bando de pernas-de-pau. Parece até o time do leprosário! – vociferava, ao volante do nosso fusquinha, voltando do Maracanã e de mais uma derrota do rubro-negro naqueles difíceis finais dos anos 1960.

Pobre "velho"! Não se conformava em ter que torcer para Buião, Caldeira, Néviton, Oswaldo Ponte-Aérea, Fio, Michila e que tais, diante de times do Botafogo com Gerson, Jairzinho, Roberto e Paulo César, e até do Bangu, com Paulo Borges, Bianchini, Parada e Aladim.

Era uma goleada atrás da outra. E tome de discurso enfurecido de meu pai, tendo como pano de fundo os comentários de Ruy Porto ou João Saldanha, no radinho Motorola do carro:

– Prestar nesse time, só presta mesmo o Doval – disparava ele, enraivecido.

– Você precisava ter visto os times do Flamengo que eu vi. Eram onze "dovais" em campo – contava, empolgado, escalando equipes com Biguá, Bria e Jaime; Zizinho, Pirilo e Valido; Leônidas da Silva, Dida e outros tantos.

Quis o destino que eu acabasse não somente vendo, mas também acompanhando, como jornalista, o maior de todos os times do Flamengo – o que foi tricampeão brasileiro (80, 82 e 83), campeão da Libertadores (81) e campeão mundial (81) com Zico, Júnior, Andrade, Adílio, Mozer, Leandro, Tita, Lico etc.

E, voltando no tempo, uma vez mais, me vejo como o meu querido "velho". Difícil não ficar ranzinza, enquanto desfilam com a camisa rubro-negra "sumidades" como Fábio Baiano, André Gomes, Fernando e que tais...

Melhor me limitar mesmo a ver Cruzeiro e Santos, ao lado da filhota. Ela não merece sofrer com essa mulambada que veste hoje a camisa rubro-negra.

Saudades, velho! E como eu te entendo agora...

INTROMISSÃO

Pelada de final de ano, depois da festa, um atacante está se gabando de suas façanhas nas *nights* do Rio.

– Então, depois daquele alucinante *show* de música, eu peguei a gata e a gente fomos lá para cima do...

Um outro boleiro que ouvia atentamente a conversa interrompe e diz:

– Não!!!! Tá maluco "mermão"??? Não é a gente fomos! É "nós fomos", entendeu? Nós fomos...

E o artillheiro, de primeira:

– Pronto, já está querendo se meter na história... Que nós fomos o quê? Nós fomos... Imagina! Você nem "tava" lá!

CARTEL OU QUARTEL?

O diretor-tesoureiro de um clube conversava com um conselheiro sobre a empresa de ônibus que deveria ser contratada para transportar os atletas para as competições.

– A diferença de preços cobrados pelas empresas é muito pequena, pois elas formam um grande cartel – diz um.

E o outro, assustado:

– Quartel? Os militares estão se metendo nisso?

Pano rápido...

XENOFOBIA

Campeonato Carioca de 1996, o Flamengo foi jogar em Itaperuna, contra o time local e antes da bola rolar, havia mais repórteres em campo do que jogadores. Nenhuma rádio da região queria perder a oportunidade de entrevistar as feras do Fla, que contava com Romário, Sávio e Cia. Também jogava no Mengão o argentino Mancuso. Pois, lá pelas tantas, um repórter de uma emissora de Muriaé-MG chega perto dele e dispara:

– Mancuso, por que o Zagallo (na época técnico do Brasil) nunca te chamou para a seleção?

E o volante:

– Deve ser porque eu sou argentino...

BOLA NA MESA

PROGRAMA "Bola na Mesa", na Bandeirantes, 1980. Faziam a resenha Sandro Moreyra, Paulo Stein, Galvão Bueno, Márcio Guedes, João Saldanha e José Roberto Tedesco, mais conhecido como Zé Cavalo.

O programa começava, e Paulo Stein dava a palavra a cada um para um comentário rápido. Na vez do Zé Cavalo, este disparou uma crítica veemente contra o Jockey Club, por causa da queda de um jóquei naquele domingo. Falou, falou e falou, até que o João Saldanha pediu pressa.

Zé deixou, então, o discurso de lado e passou a defender o seu direito de usar o tempo que precisasse. Feito isto, tentou voltar ao assunto inicial:

– Onde é que eu estava mesmo?

E o Sandro:

– Na curva do hospital!

Foram tantas gargalhadas, que Paulo Stein teve que pedir os comerciais.

◆

Num outro domingo, após o "Bola na Mesa" foram todos para o Bela Roma de Botafogo, restaurante preferido da turma.

Lá chegando, encontraram o João Areosa, outro querido companheiro, conhecido por seu gênio "explosivo". Em seguida, apareceu o João Bosco, conhecido que fazia um tablóide sobre a noite do Rio. Papo vai, papo vem, Areosa e Bosco começaram uma tremenda discussão. E Areosa chamou Bosco pra sair no tapa lá fora. Levanta-se o Sandro, veemente:

Lá fora uma ova, eu quero ver a briga. Estou pagando a conta e tenho meus direitos.

A "briga" acabou ali mesmo. Em gargalhadas.

◆

Uma outra noite, novamente no Bela Roma. Aproxima-se da mesa um torcedor que "escala" o Sandro pra fazer algumas reclamações. O cara não parava, e o Sandro já estava irritadíssimo. Começou, baixinho, a dar foras no "mala". A horas tantas, já desesperado, berrou a plenos pulmões:
– Então vamos fazer o seguinte: você fica e eu vou pra PQP...

SABATINA CELESTIAL

Morreram, de uma só vez, o francês Zidane, o português Figo, o espanhol Raúl e o brasileiríssimo Romário. Juntos, no céu, foram recebidos por São Pedro:
– Não adianta terem sido craques na bola. Pra entrar aqui tem que ser também craque de espírito. Vou fazer umas perguntas, e só quem acertar entra – avisou Pedro.
A primeira foi para Zinedine Zidane:
– Onde é que a mulher tem o cabelo mais enrolado? – quis saber São Pedro.
O francês pensou...
– Ah! já sei! É na África!
– Muito bem. Mente sã em corpo são. Pode entrar.
Chegou a vez do Figo:
– O que a mulher tem no meio das pernas?
O português pensou...
– Ah, já sei! Os joelhos!
– Muito bem. Mente sã em corpo são. Entra!
Na vez de Raúl, a pergunta foi ainda mais difícil:
– O que as mulheres casadas têm mais larga que as solteiras?
O espanhol matutou...
– Ah, já sei. É a cama. A da mulher casada é mais larga que a da solteira.
– Mais um de mente sã em corpo são. Passa!
Foi aí que Romário deu as costas e começou a caminhar rumo ao inferno:
E São Pedro:
– Ei, Baixinho! Não vai nem tentar?
– Pra que, "peixe"? Nem adianta. Já errei, longe, as três anteriores.

LAPTOP DO CAPETA

Rivaldo foi almoçar na casa de César Sampaio e levou a tiracolo um sofisticado laptop. Antes do regabofe, começou a exibir, no micro, as fotos do filho Rivaldinho dando os primeiros passos e chutes na bola. Tudo sob olhares de admiração da numerosa família evangélica do amigo.

Eis que, de repente, ao clicar para mostrar mais uma tela, surge diante de todos uma mulher nua, em pose pra lá de ginecológica!

– Meu Deus, isso é coisa do diabo! – gritaram algumas das senhoras.

Trêmulo, Rivaldo tratou de clicar no mouse – tentando mudar a tela. Qual o quê! Acionou o zoom, que trouxe para o primeiro plano as "partes pudendas" da exuberante "*chica*". O jeito foi desligar da tomada e fechar tudo, em meio ao constrangimento geral...

BRAGUINHA ENCARA MAGNUM

Olimpíadas! Festa maior do esporte, ocasião de muitas histórias folclóricas e pitorescas. Um dos meus "causos" prediletos aconteceu com o banqueiro (aposentado) Antônio Carlos de Almeida Braga – o Braguinha.

Os Jogos eram os de Los Angeles, em 1984, e, na quadra de vôlei, Brasil e EUA disputavam a medalha de ouro. Ponto pra lá, ponto pra cá, os americanos iam abrindo vantagem, para desespero de Braguinha e delírio do ator Tom Seleck, no auge da fama, por causa do seu personagem Magnum, em um seriado da TV.

Dono de físico avantajado, Seleck levantava-se a cada boa jogada dos EUA, atrapalhando a visão de Braguinha na tribuna de honra.

– Amigo, não dá pra torcer sentado? – disparou o banqueiro, batendo no ombro do Magnum.

A resposta foi um palavrão, a que Braga retrucou com outro, que punha em dúvida a masculinidade do galã. Por pouco não estourou um sururu, mas a turma do deixa-disso entrou em ação e os ânimos foram serenados.

Sentadas ao lado de Braguinha, as meninas da seleção brasileira de vôlei, todas tietes do Magnum, reclamaram:

– Poxa, doutor Braga, o Magnum é o maior machão! Como é que o senhor o chama de bicha?

E o Braguinha, sem perder a pose:

– Que nada, meninas, é macho só na TV. Macho de ficção...

RASTEIRINHA PELO ALTO...

Escalado para cobrir um Vasco e Flamengo, de futsal, no Ginásio Pedro Jahara, o Pedrão, o repórter Vandré Silos, do *Teresópolis Jornal*, presenciou um fato inusitado:

"O jogo era decisivo e torcida e dirigentes de ambos os lados compareceram em peso ao ginásio de Teresópolis. Apesar da superioridade técnica do elenco vascaíno, o Flamengo equilibrou a partida. A disputa era acirrada até que, faltando menos de um minuto para acabar a primeira etapa, o Fla teve a seu favor uma falta sem barreira.

Formiga, o fixo rubro-negro, ajeitou a bola com carinho. Diante dele, Lavoisier, também goleiro da seleção brasileira e exímio pegador de faltas. Silêncio absoluto no ginásio. Entre o apito do juiz e a cobrança, um dirigente flamenguista grita para seu atleta:

– Bate rasteirinha pelo alto, Formiga!

Cobrança feita, chute indefensável. Acreditando que a sua 'venenosa dica' dera resultado, o dirigente berra a plenos pulmões:

– Não falei? Não falei?

O Flamengo venceu por 1 a 0, eliminou o arqui-rival, mas, até hoje, não se sabe se o Formiga ouviu o enigmático conselho do cartola. A bola entrou à meia altura. Bem ou mal, por que não dizer? – foi rasteirinha pelo alto..."

O APITO E O UÍSQUE

DUAS HISTÓRIAS impagáveis do ex-goleiro Raul Plasman, que jogou pelo Cruzeiro e pelo Flamengo. A primeira:

Titular da seleção brasileira na Copa América de 1975, ele enfrentava a seleção peruana, no Mineirão. O Peru atacava e, no exato momento em que a bola chegava ao perigoso Cubillas, completamente livre, dentro da área, eis que se ouviu um apito estridente.

– Impedimento! – pensou Raul, relaxando, ao ver que o adversário também parecia desistir da jogada.

Cubillas, porém, ainda deu um biquinho na bola e Raul, irritado, a deixou passar, "só para fazer uma cerinha..."

Quando foi buscar a redonda no fundo do gol, o goleirão estranhou a sonora vaia de todo o estádio. Só entendeu o que acontecera, ao ver Cubillas sendo abraçado, festivamente, pelos companheiros.

Quem apitara não fora o árbitro, mas um torcedor que, até hoje, Raul acredita ter sido um atleticano.

◆

A segunda história, ainda melhor, é uma conseqüência – e uma espécie de continuação – da primeira:

Tranqüilo porque, após a partida, o técnico Osvaldo Brandão dera várias entrevistas eximindo-o de culpa e atribuindo o gol adversário a um acidente, Raul viajou com a seleção para Lima, onde se jogaria a partida de volta.

Hospedado em um quarto do luxuoso Hotel Crillon, o goleiro tinha como companheiro o seu reserva, Waldir Perez. Eis que, em torno das 22 horas, o telefone tocou e ele atendeu. Era Osvaldo Brandão, chamando-o para uma conversa no seu quarto.

– Waldir, pode se preparar psicologicamente porque acho que você vai jogar amanhã! – disse para o companheiro, momentos antes de ir ao encontro do treinador.

Ao chegar ao quarto do técnico, Raul viu uma garrafa de uísque fechada, com dois copos ao lado. E Brandão disparou logo:

– Você bebe?

– Não senhor, a não ser em comemoração de títulos. Mas nada de bebida forte.

O técnico o elogiou pela atitude e começou uma conversa mole sem fim. Disse que queria conhecê-lo melhor, porque era um jogador inteligente, elegante e coisa e tal. Contou ainda que era espírita, falou de política, de música... Futebol, que é bom, nada! Lá pelas tantas, ele quase intimou o goleiro:

Raul, esse negócio de beber sozinho não dá! Com um companheiro ao lado, então, é ainda pior. Toma pelo menos uma dose, né?

Para não ser deselegante, Raul acabou capitulando. Só que Brandão lhe estendeu logo uma dose caubói, dizendo:

– Vai de um tapa só!

Raul foi. Passado mais um tempinho, Brandão ofereceu outra dose ao goleiro. Ele, já animadinho, tomou.

Um pouco depois o técnico olhou para a garrafa, já vazia, olhou para o relógio, soltou um bocejo e disse:

– Meu Deus, as horas passam e num papo gostoso a gente nem sente! Vai dormir, vai, meu goleiro.

Raul já estava abrindo a porta quando ouviu, de novo, a voz de Brandão:

– Ah, Raul tem mais uma coisinha. Você está indo dormir muito tarde, já tomou uns uísques... Acho melhor escalar o Waldir Perez amanhã, ok?

UM TERNO ESPECIAL

Pedro Paulo era um foclórico lateral-direito do timaço do Cruzeiro nos áureos tempos de Tostão, Dirceu Lopes, Zé Carlos, Raul etc. E foi o ex-goleiro que contou esta:

"Jogávamos fora de Minas e, no hotel, fiquei no quarto com o Pedro Paulo. Na hora do *check-out*, houve um alvoroço na recepção, e um dos dirigentes me chamou num canto:

– Raul, você percebeu se havia no seu quarto uma cortina de linho, listrada de azul e branco?

Eu nem tinha reparado. Só dormira uma noite lá e mal tinha chegado na janela. Conversa daqui, conversa dali, acabamos liberados. Na viagem seguinte, desfez-se o mistério: Pedro Paulo chegou para o embarque envergando um terno de linho, listrado de azul e branco. Novinho em folha. Foi uma gargalhada só."

NOS TEMPOS DO ONÇA.... E DO PERÁCIO!

Final da década de 1930. A seleção carioca viajou de trem para São Paulo, durante a noite, para enfrentar a seleção paulista no dia seguinte.

Pela manhã, já chegando, o jogador Carvalho Leite estava no banheiro de seu vagão fazendo a higiene matinal. Quando acabou, deu de cara com outro jogador da seleção, Perácio, que entrava no recinto.

Ao retornar à sua poltrona, Leite lembrou que esquecera a escova de dentes e voltou pra pegá-la. Ao chegar, viu o Perácio utilizando-a e reclamou:

– Ô Perácio, essa escova de dentes é minha!

E o colega:

– É sua?! Pensei que fosse do trem!!!

GOVERNO POLIGLOTA

Maldade do momento que circula pela grande rede. Preocupada com o Pan-2007, no Rio, a governadora Rosinha chamou o seu secretário de Segurança, Garotinho e, juntamente, com seus assessores prepararam placas de sinalização para todo o Rio, em inglês e português. Eis o resultado: *Good Success*: Bonsucesso; *Hello, smile*: Olaria; *Will go now*: Irajá; *All Saints*: Todos os Santos; *Alligator to the water*: Jacarepaguá; *Big Field*: Campo Grande; *Bless you*: Saúde; *Customers*: Freguesia; *Dry Square*: Praça Seca; *Flag Square*: Praça da Bandeira; *Flagmen Funtime*: Recreio dos Bandeirantes; *German Mountain*: Morro do Alemão; *Good Read*: Leblon; *Grandson Rabbit:* Coelho Neto; *Happy view*: Vista Alegre; *Hard Cover*: Cascadura; *High School*: Colégio; *Holy Cross*: Santa Cruz; *Hut Pantry*: Copacabana (ou *Little Princess of Sea*); *Inside Mill*: Engenho de Dentro; *It's very cheap*!: Pechincha; *Little Field*: Campinho; *Mango Tree*: Mangueira; *Mary of Grace*: Maria da Graça; *Mercy*: Piedade; *New Mill*: Engenho Novo; *Nice stay*: Benfica; *Nice to meet you*: Encantado; *Priest Michael*: Padre Miguel; *Set black people free*: Abolição; *Set fire*: Botafogo; *Setting free*: Livramento; *Small Farm*: Rocinha; *To walk there*: Andaraí; *Very deep island*: Ilha do Fundão; *Very very holy* – Santíssimo; *Wait a minute*: Paciência...

Pano rápido!

CONCLUSÃO FATAL

Essa aconteceu em Friburgo, na década de 1960. Pelo campeonato da cidade, jogavam Friburgo (o atual Friburguense) × Fluminense. O jogo era no campo do primeiro, que tinha toda a torcida a seu favor e ainda a vantagem do empate para chegar ao título.

Aos 90 minutos, com o placar em 0 a 0, um atacante do Fluminense invade a área, dribla o goleiro do Friburgo e fica de cara para o gol. Silêncio total no estádio.

O jogador, então, chuta torto, a bola bate numa trave, corre sobre a linha do gol, bate na outra trave e volta mansamente para as mãos do goleiro do Friburgo. Alívio geral na arquibancada, título garantido.

O locutor da Rádio Friburgo, em estado de êxtase, inflamado como nunca, pergunta ao comentarista da emissora, o folclórico Rostein:

– Rostein, Rostein... E se essa bola entrasse, Rostein?
E Rostein, torcedor roxo do Friburgo, sem esconder o alívio e a felicidade.
– Primeiro, ia ser gol, né? Segundo, meu caro, ia dar uma merda danada!

LOCUTOR-MIRIM

Início dos anos 1950, a Rádio Sociedade Voz de Manhumirim fazia uma brincadeira de sucesso com os garotos da cidade. Durante as partidas de futebol, o *speaker* liberava um ou dois minutos de transmissão, e a molecada (e toda a cidade e arredores) curtia, pelas ondas de rádio.
Certo dia, porém, o jovem Pedro Quinto foi um dos escolhidos para o "sensacional clássico" Grêmio Manhumiriense e Ipiranga de Manhuaçu.
Jogo duro, até que o locutor entregou o microfone ao guri, da tradicional família Vieira, recém-falida pelo café. E o locutor-mirim não se fez de rogado:
– Bola com o veloz Mané Vaca, que arranca pela direita, corta um, corta dois, vai sair o gol é só chutar... CHUTA, PELO AMOR DE DEUS, CHUTA DESGRAÇADO, CHUTA MANÉ BOSTA, CHUTA FIO-DA-P..! Ô, MANÉ VACA BURRO!
Corte rápido na transmissão, e gargalhada geral de quem ouvia. A promoção foi suspensa a partir daquele dia e os palavrões valeram uma semana de castigo e gozação para o pequeno Quinto! Que até hoje, contudo, afirma que não retiraria uma vírgula dos "elogios" ao Mané Vaca durante a transmissão.
Em tempo, Mané Vaca não chutou e o "clássico" acabou 0 × 0. Ah, se o Mané Vaca tivesse chutado...

BOLETIM MÉDICO

Final dos anos 1950, o locutor Carlos Lima transmitia, pela Rádio Globo, um jogo do Bonsucesso, que tinha no time o meia-armador Xavier.
Bola pra lá, bola pra cá, e o único jogador que o Lima não citava uma só vez, pegasse na bola ou não, era o pobre Xavier. Terminado o primeiro tempo, o comentarista Jorge Leal iniciou assim suas observações:

– Comunico a parentes e amigos que o meia Xavier, do Bonsucesso, esteve em campo nesses primeiros 45 minutos, se apresentou apenas regularmente, mas está muito bem de saúde...

O CHINELO DO GERALDINO

O ANO ERA o de 1978 – quando o Fla de Zico começaria a arrancada rumo ao título mundial em Tóquio, em 1981.

Naquele dia, entretanto, o Mengão penava. Diante de um dos pequenos do futebol carioca, não saía do 0 a 0 e, à medida que o tempo passava, os geraldinos se exasperavam.

Após mais um ataque desperdiçado por Cláudio Adão, eis que um enfezado torcedor irritou-se de vez e, sacando o próprio chinelo, varejou-o na direção do técnico, sentado poucos metros à sua frente, no banco de reservas.

Seguiu o jogo (o Flamengo só conseguiria fazer o seu gol nos minutos finais), e o geraldino a xingar, enfurecido, pulando numa perna só.

Encerrada a partida, eis que Coutinho escuta novamente a voz do geraldino, desta vez bem mais mansa:

– Capitão, ô capitão, por favor, devolve minha chinela aí! Com que cara eu vou chegar em casa com um pé só? A patroa me mata, capitão.

Coutinho teve pena do pobre coitado e foi até a beira do gramado apanhar o pé de chinelo (daqueles que soltam cheiro e as tiras), devolvendo-o ao torcedor, brincando:

– Isso é só porque você não me acertou, hein? Sua pontaria foi tão ruim quanto a dos nossos atacantes hoje...

PÊNALTIS

Mestre em cobranças de falta – inventor da famosa "folha-seca" (aquele chute de efeito em que a bola descai, de repente, enganando o goleiro) –, o bicampeão mundial Didi não gostava muito de cobrar pênaltis. A explicação foi dada ao meu fiel escudeiro, Antônio Arruda:

– Na minha estréia no Flu, jogávamos nas Laranjeiras, contra o Madureira, meu antigo clube. Logo nos primeiros minutos houve um pênalti a nosso favor. Bati e... pimba! Na trave!

Veio o segundo tempo e... outro pênalti a favor do tricolor. Conta, Didi:

– Bati de novo. Não dava pra recusar, depois de ter perdido um. Podiam achar que eu não estava querendo fazer gol nos meus antigos companheiros. Caprichei e... pimba! Na outra trave!

O jogo acabou 3 a 3, e somente duas horas depois do final Didi conseguiu deixar as Laranjeiras. A torcida queria escalpelá-lo.

ALUNO EXEMPLAR

A Cia. de Furnas, a Defesa Civil, o Flamengo e diversas escolas carentes fazem parte de um projeto chamado "Ascendendo a cidadania nas escolas". A iniciativa consiste em levar craques do passado e do presente do rubro-negro para palestras com as crianças, contando como também tiveram uma infância carente e difícil, mas conseguiram vencer na vida de maneira honesta.

Um belo dia o convidado foi Nunes, o artilheiro das grandes decisões. Eis que, durante a sua explanação (na qual deveria ser ressaltado como é importante estudar), o "João Danado" solta a seguinte pérola:

– Já matei muita aula pra jogar minhas peladas!

Quase levou cartão vermelho da professora...

TORCICOLO ARGENTINO

ANOS 60, Campeonato Carioca, Portuguesa × Botafogo em campo. A Portuguesinha, dirigida pelo folclórico Gentil Cardoso, enfrenta um imprevisto de última hora. Seu lateral-esquerdo passou mal e não poderá jogar.

No vestiário, durante a preleção, Gentil pergunta quem está em melhores condições físicas para substituir o companheiro. Os jogadores se entreolham e ninguém se manifesta. O motivo é evidente: aquele que jogar na lateral esquerda terá que marcar... Mané Garrincha!

Na falta de voluntários, o treinador decide escolher Teixeirinha, modesto reserva do meio de campo.

Contrariado, pensando na árdua missão que terá pela frente, o pobre-diabo nem ouve as instruções do técnico. Já matuta uma forma de evitar a humilhação em campo.

Ao pisar no gramado, ele corre em direção ao Mané e, humildemente, apela:

– Oi, "seu" Mané, meu nome é Teixeirinha e eu precisava muito de um favor seu! Tem uns empresários argentinos aí pra me ver jogar e, imagine, logo hoje, eu vou marcar o senhor. Será que dá pra me dar uma força? Sabe como é, né?

Sensibilizado, Mané promete maneirar. E quando a bola rola, sempre que ele a recebe pela direita, limita-se a tocá-la para o lado, sem partir para cima do Teixeirinha.

Vai passando o tempo e, de repente, há um lançamento em profundidade para Garrincha. Teixeirinha, que tinha alguma habilidade, antecipa-se faz o corte e ainda aplica um lençol em Mané.

A galera vibra e começa a gritar o seu nome. Pra quê? Teixeirinha se enche de moral e, na jogada seguinte, arrisca uma bola por entre as pernas tortas de Garrincha.

Foi o que bastou. No primeiro lateral, o Mané se aproxima do adversário e sussurra em seu ouvido:

– Ô Teixeirinha, acho que tu não estás querendo jogar na Argentina, não!

O resto fica a cargo da imaginação do leitor. Conto apenas que o pobre Teixeirinha foi substituído, na metade do segundo tempo e, dizem, passou uma semana com torcicolo...

PERSEGUIÇÃO

Logo que o técnico Ricardo Gomes deixou a direção do Paris Saint-Germain e assumiu o Vitória da Bahia, passou a ser perseguido por um torcedor que, em todos os jogos, se postava atrás do banco de reservas e gritava:

– Ô Ricardo, você é burro, hein? Trocar Paris por Salvador! Vai ser burro assim no beleléu!

Tempos depois, o treinador deixou o Vitória e foi dirigir o Sport de Recife: "Pelo menos me livrei daquela mala", pensou.

Pois não é que no primeiro jogo do Sport, em Salvador, Ricardo ouve a conhecida voz, vindo de trás do banco, no Barradão?

– Ô Ricardo, você é ainda mais burro do que eu pensava! Primeiro, troca Paris por Salvador; agora troca Salvador por Recife! Vai ser burro assim...

O DEBOCHE DO TROMBA

Fla e Santos foram os representantes do Brasil na Libertadores de 1984 e ficaram no mesmo grupo (na época eram só dois de cada país, e sempre na mesma chave). Os dois se enfrentavam no Morumbi e o jogo já estava 2 a 0 para o Mengão, quando houve uma confusão no meio de campo. Chega o goleiro uruguaio Rodolfo Rodriguez, encara Andrade, apoiador rubro-negro, e pergunta:

– *¿Que passa, que passa*? (o que está havendo?, em espanhol).

Debochado, o "Tromba" responde:

– Aqui não passa nada, mas volta pro gol que lá já passaram dois e ainda vão passar muito mais.

BESTA NAVAL

ESSA É DO TEMPO EM QUE as regatas a remo eram transmitidas pelas rádios e paravam a Lagoa, reunindo até 12 mil pessoas nas manhãs de domingo.

Quase tudo pronto para a primeira prova, eis que o locutor vislumbra um pequeno barco cruzando a raia.

– Elpídio! – brada ele, soltando a poderosa voz pelas ondas hertzianas.

Elpídio era o repórter da emissora. Ficava na garagem dos barcos, fazendo entrevistas.

– Elpídio! – insistia o locutor. E nada do Elpídio...

Todos os barcos já estavam alinhados, em frente à Igreja de Santa Margarida Maria, as guarnições a postos e o diabo do barquinho a cruzar a raia, lentamente. Já apoplético, o locutor queria saber do repórter o que estava acontecendo:

– Elpídio, meu filho: onde quer que você esteja, trate de apurar rapidamente quem é esse IMBECIL que resolveu cruzar a raia agora num escaler! Nossos ouvintes querem saber quem é a BESTA QUADRADA que está atrasando a largada.

E, do outro lado, fraquinha, surgiu a voz do Elpídio, que aquele dia resolvera inovar, acompanhando a regata "de pertinho".

– Sou eu....

EMENDA PIOR QUE O SONETO

O Internacional jogava em Caxias e a (rádio) Gaúcha cobria o jogo com seu locutor titular, fanático torcedor do Colorado. Segundo tempo, zero a zero, a bola é enfiada e Claudiomiro parte, célere, em direção ao gol, tendo somente o goleiro pela frente. E a narração descreve:

– Vai Claudiomiro, avança, vai vibrar o povo colorado, apontou, atirou e... PQP, no travessão!!!

Percebendo a besteira que acabara de fazer, o *speaker* (cáspite!) se cala, e durante segundos nada se ouve no ar. Tentando ajudar, o comentarista o acode:

– Senhores ouvintes, desculpem a cagada de nosso colega...

SAIA JUSTA

DÉCADA DE 1980, jogava o Flamengo contra um time pequeno do Rio. E apesar do timaço com Zico & Cia, a bola teimava em não entrar. Pressão total, mas o 0 a 0 lá firme no placar.

Na cabine da Rádio Globo, Jorge Cúri, Mário Vianna e João Saldanha formavam o trio que transmitia a partida. Rubro-negro confesso, Cúri sofria, e suava, narrando com seu invejável vozeirão. Quase no final, Zico pega a bola na grande área, gira e faz o gol. E Cúri exulta, soltando o grito que o celebrizou no futebol:

– GOOOOOOOLAÇO, AÇO, AÇO!!! ZIIIICOO!!! Depois da festa, chamou o comentarista de arbitragem. E, num tom de voz tão alto quanto, Mário Vianna não se fez de rogado:

– I-LE-GAL!!! BANHEEEIRAAA!!! VEIO DA FIGURA A PARA A FIGURA B!!! BANHEEIRAA!!! GOL I-LE-GAL!!!

Fez-se um silêncio tumular e constrangedor na cabine. Segundos depois, ouviu-se a gargalhada de João Saldanha. E, sem sequer olhar para Mário Vianna, Jorge Cúri foi em frente:

– MENGÃO 1 A 0, bola com Adílio...

DEMOROU...

Finalzinho da década de 1950, o grande Botafogo de Garrincha, dirigido na época por João Saldanha, jogava na América Central, decidindo um quadrangular. Partida dura, a equipe local baixando o pau e os alvinegros querendo a vitória, pois o bicho era gordo.

Faltando apenas dois minutos para o final, Garrincha sai driblando meio time e fica cara a cara com o goleiro. Pára a bola, ameaça o chute mas negaceia. No banco e no campo, todo mundo grita para ele chutar logo. E o Mané, toma de gingar na frente do arqueiro.

Quando os zagueiros adversários já se aproximam, Garrincha finalmente toca. Por entre as pernas do goleirão.

Alívio geral, mas, no vestiário, Saldanha cobra a demora:

– Pô, Garrincha, você quase me mata do coração! Por que não fez logo o gol?

E o gênio das pernas tortas, com seu jeitão simplório:
– O goleiro não queria abrir as pernas, professor! Tive que ficar esperando..

NO ESTÔMAGO

Intervalo de jogo em Campos, o Fla levava um calor do Americano. Evaristo Macedo, então o treinador rubro-negro, tenta motivar o time, evocando, como de costume, suas experiências internacionais.
Iranildo, doido para entrar no segundo tempo, nem prestava atenção. Arrastava as chuteiras como se fossem chinelos e interrompeu a preleção para pedir água ao massagista. Evaristo tomou-lhe o copo e aproveitou a deixa:
– No futebol árabe, eu mantinha dentro do vestiário o nosso meio de transporte, o camelo, pra condicionar o grupo a beber pouca água e dar exemplo de resistência física. Você sabe onde o camelo armazena tanta água?
Iranildo, inocência à flor da pele, deu um muxoxo:
– Lá vem pergunta da Espanha (Evaristo costumava lembrar muito também os seus tempos no futebol espanhol). Difícil... É nas "carcundas"?
– Não, Iranildo, é no estômago. E isso não foi na Espanha, foi no Catar. Você sabe onde fica o Catar?
– Essa é fácil! No pulmão, né, professor?

SUSPENSÓRIOS EM CAMPO

Acusado de *doping*, o apoiador William, do Vasco, estava ameaçado de suspensão, justamente na hora da grande decisão. Na hora do noticiário dos clubes, querendo abordar o caso, o apresentador chamou o destaque de São Januário. E o repórter, tonitruante, entrou ao vivo:
– O Departamento Jurídico vascaíno está se mobilizando para que William jogue a final graças ao um "Efeito Suspensório"!!!
Pano rapidíssimo...

TORPEDO INFELIZ

ESTA ACONTECEU um dia antes do réveillon de 2000, no Quiosque do Maza, na praia de Camboinhas, em Niterói. Bem diante dele, era promovido um animado futevôlei, com a presença de jogadores de vários clubes de futebol do Rio.

Eis que um conhecido zagueiro, com passagem em quase todos os grandes clubes do Rio, notou, próximo à quadra, um casal formado por uma linda loura e um careca barrigudo.

Ato contínuo, resolveu jogar charme para a moça, pouco se importando com a presença do marido. Foi a gata se aproximar do chuveiro, e o boleiro se chegou, de mansinho. Peito estufado, mandou ver:

– Eu sou o ...., jogador do........ Tudo bem?

Educadamente, a moça respondeu:

– Eu sei. Meu marido, que está sentado logo ali, me falou. Ele, aliás, é torcedor do seu time.

Disse isso e saiu em direção ao marido, a quem logo relatou o ocorrido.

O "don-juan da grande área", porém, não se deu por vencido. Pouco depois, disparava um "torpedo", através de uma menina.

O projétil, entretanto, acabou interceptado pelo marido, que àquela altura já estava atento às artimanhas do atleta. No papelucho lia-se o nome do jogador, o número de seu celular e um recado singelo: "Ligar urgente."

Aí o careca barrigudo, mas com 1,90m de altura e compleição física das mais parrudas, perdeu as estribeiras. Dirigindo-se até onde estava o jogador, disparou, enfurecido:

– Ô negão, você passa o ano levando bolas nas costas, faz o meu time ter a zaga mais vazada do campeonato e ainda quer se criar na minha área? Olha que eu te sento o braço!

Murchinho, murchinho, o beque apenas balbuciou:

Não fui eu, não!

Ficou a dúvida. Será que ele falava do saco de gols que o seu time levou no Brasileiro, ou da autoria do torpedo? Na verdade, tinha culpa no cartório nos dois casos...

FIM DO MUNDO

Véspera do dia 31 de dezembro de 2000: Romário ligou para o companheiro Bradock, convidando-o para o *réveillon* em sua casa:

– Ih, peixe não vai dar.

– O quê? Recusando a mordomia total em minha casa? Vai passar onde?

– Em casa mesmo...

– O quê? Está doente?

– Olha, peixe, esse tal do "bugre do milênio" está me deixando sem dormir. Se o mundo vai acabar, prefiro ficar com minha família.

– Então tá, se liga na Globo que ela vai mostrar imagens do fim do mundo. Depois você me conta...

CHARUTO MILAGROSO

O ANO ERA 1962, a Copa se aproximava e a seleção ia ser convocada. Guiomar, mulher do Didi, macumbeira de mão cheia, chega para o jornalista Geraldo Escobar e diz:

– Escobar, tem um tal de Amarildo que anda fumando um charuto benzido por um pai-de-santo muito bom. Ele vai à Copa...

– Que é isso, Guiomar? – espantou-se o repórter. Nem titular no Botafogo ele é, como vai pra Copa?

Feita a convocação dos 40, Amarildo surge como surpresa. Guiomar liga, lembra a história do charuto e repete:

– Ele vai à Copa!

Saiu a convocação dos 22 e Amarildo, entretanto, não estava entre eles. Foi a vez do Escobar telefonar, fazendo pouco do charuto...

– Ele não fumou! – responde a mãe-de-santo.

Subitamente, alguém se machuca num treino e lá está Amarildo entre os 22. Novo telefonema:

– Escobar, ele já deu uma tragadinha! Vai jogar!

– Ah, Guiomar, com Pelé, Vavá, Garrincha... Aonde ele vai entrar?

– Não sei, mas ele vai jogar! Pode apostar.

Pelé se machuca, e quem entra em seu lugar? Guiomar liga outra vez:

– Escobar! Ele tirou o melhor do mundo! O charuto é fantástico, Escobar!

Amarildo jogou, decidiu partidas importantes, voltou bicampeão do mundo e foi vendido para o Milan. Eta charuto bom!

ALVO ERRADO

Uma do lendário zagueiro do Voltaço Edson Moita. Jogo duríssimo no Raulino de Oliveira, o meia do Volta Redonda avança com a bola dominada, mas o adversário vem por trás e lhe rouba a pelota. O meia, revoltado, cobra do zagueiro:

– Poxa, Moita, grita: ladrão, né?

Ato contínuo, o becão olha para o juiz e grita:

– LADRÃO!

Foi para o chuveiro mais cedo...

MACHISMO

Na década de 1970, a televisão não transmitia todas as corridas ao vivo em função de problemas de satélite. A solução era acompanhar pelo rádio. Num destes Grandes Prêmios, o locutor era o saudoso Jorge Cúri, e Lella Lombardi, a primeira mulher a pilotar na F1, fez uma lambança. Curi não se conteve e soltou o seu machismo, com o vozeirão tonitruante:
– Minha filha, volta pra cozinha e vá tratar de pilotar um fogão...

JK E AS LINHAS CRUZADAS

Às vésperas de seu primeiro casamento, o goleiro Raul, então no Cruzeiro, recebeu um telefonema de um amigo do pai da noiva, Maria Carmen. Ninguém menos que o ex-presidente Juscelino Kubitschek, que fora convidado pela família dela para ser um dos padrinhos do casal.
– Raul, aqui é o Juscelino Kubitschek. Gostaria de saber qual o traje que os padrinhos usarão – perguntou JK ao telefone.
E o Raul, sem acreditar no que ouvia:
– Se você é o Juscelino eu sou o Napoleão. Não tem mais nada para fazer compadre? Vai passar trote na vovozinha! – disparou, desligando a ligação.
Pouco depois, Juscelino telefonou de novo e disse que deveria ter havido algum problema na ligação, já que estava falando de Londres. Só aí o goleiro se deu conta da mancada:
– É, presidente, desde que o senhor deixou o Governo a telefonia piorou uma barbaridade por aqui. É muita linha cruzada; muita linha cruzada...

SORTEIO SUSPEITO

Há muitos anos, a final do campeonato catarinense, entre um time de Florianópolis (capital) e outro de Lages (interior), caiu num buraco negro de regulamento e faltou definição para o local do jogo decisivo do campeonato catarinense. Entra em campo a federação, disfarçadamente aliada a uma das equipes, e decide programar um sorteio. A imprensa está toda em cima. O resultado do sorteio? Deu Florianópolis. O que ninguém viu é que na outra cédula estava escrito capital...

NÃO OLHE!

NOS ANOS 60, Didi e China faziam furor no Botafogo. E a fórmula era simples. Didi chamava China e combinava:

– Quando eu pegar na bola, não olha pra trás! Sai correndo pro ataque e deixa o resto comigo.

Não dava outra. Mestre Didi recebia, no meio de campo, China virava as costas e acelerava como um puro-sangue, rente à lateral direita do gramado. Quando estava próximo à entrada da área, a bola passava por cima de sua cabeça e acabava, limpinha, em seus pés. Certo dia, porém, Didi pegou na bola e disse:

– Vai China...

Como de costume, China deu as costas e saiu correndo. No meio do pique, porém, resolveu dar uma olhadela para trás e viu o exato momento em que Didi desferia o chute. Surpresa: o passe ia em direção contrária a sua e lá se foi o China, correndo para o outro lado. Resultado: a bola parou limpinha na direita e China ficou esperando, mãos na cintura, na esquerda. Encerrado o jogo, China perguntou a Didi:

– O que aconteceu? Você chutou pro outro lado!

E o Didi, sem paciência:

– Eu disse que não era pra olhar? A minha bola faz essa curva mesmo...

RECONHECIMENTO

Copa do Brasil, final de jogo entre Atlético-MG e Palmeiras. Vitória palmeirense e muita contestação da torcida mineira quanto à arbitragem. Alheio à revolta dos torcedores, o meio-campo Amaral dá entrevista à Rádio Itatiaia, na beira do gramado. Eis que um torcedor, enfurecido, arremessa o seu radinho de pilha na direção do jogador, que se abaixa na hora certa enquanto o improvisado projétil lhe passa zunindo junto à orelha. Rapidamente, Amaral se abaixa, apanha o rádio e continua a entrevista, no maior bom humor:

– Se vocês da imprensa não me reconhecem como melhor jogador da partida, a torcida sim. Olha aí, ganhei o Motoradio...

HEXAMARIDO

A moçoila foi entrevistar um ginasta e pediu que ele falasse de seus títulos.

– Tenho vários cariocas, brasileiros, e agora, com este, na África do Sul, sou hexacampeão mundial de ginástica acrobática.

– E por que perdeu esse título?

– Não, não perdi!

– Mas você acabou de me dizer que é hexa.

– Sim, sou hexa...

– Ué, hexa é quando a gente não é mais. Por exemplo, meu pai é hexamarido da minha mãe.

DOPARAM A VELHA!

VICTOR KINGMA, um de meus colaboradores, reaparece, em grande forma.

Naquela cidadezinha mineira, o fascínio pelo futebol era geral. Aos domingos, era de lei assistir aos jogos do Expressinho, nome dado em homenagem ao Expresso da Vitória, time inesquecível do Vasco e paixão do seu fundador.

Farmacêutico aposentado, seu Miranda era técnico, médico e psicólogo do time, conhecido na região pela capacidade de reverter resultados impossíveis. Várias eram as histórias contadas de viradas inesquecíveis após suas preleções no intervalo.

Dona Xica, sua mãe, aos 85 anos era a torcedora-símbolo do time. Não perdia um jogo e, bandeira na mão, tinha até lugar cativo à beira do gramado.

Naquele domingo, sol de 42 graus, a coisa não estava indo bem para o Expressinho. Terminado o primeiro tempo, o placar apontava 2 a 0 para os visitantes.

Portas fechadas no vestiário, o técnico se reunia com seus atletas, tentando mais uma heróica façanha. De repente, um alvoroço.

– Que tumulto é este?
– É dona Xica, seu Miranda! Está correndo feito louca, dando volta olímpica no campo, com a camisa na cabeça, como o Rivaldo.
– Mas o que houve?
– Ela estava com muito calor e eu dei a ela um copo do suco que o senhor costuma dar pros jogadores....
– Nossa senhora! Mamãe está dopada...

DE MANSINHO...

O ano era o de 1976, e a corrida que decidiria o título mundial seria disputada em Fuji Yama, no Japão. A largada ocorreu sob fortíssima chuva, que levou, inclusive, o austríaco Niki Lauda (naquele mesmo ano ele sofrera, em Nurburgring, o seu terrível acidente) a abandonar a prova na primeira volta, por questões de segurança.
Perguntaram, então, ao Wilsinho Fittipaldi, que estava nas últimas filas do *grid* com o seu Copersucar, como ele havia conseguido largar no meio de tanta água:
– Pelo barulho, ora. Quando não ouvi mais nenhum motor roncando do meu lado, acelerei devagarinho e fui embora...

UMA COISA OU OUTRA

A maior, e provavelmente única, qualidade do folclórico centroavante Mirandinha, que jogou no Corinthians, na década de 1990, era a velocidade. No entanto, após ganhar dos marcadores na corrida, na maioria das vezes ele errava o passe. Certa vez, o técnico Nelsinho Batista o chamou para uma conversa e lhe pediu que pensasse um pouco antes de passar a bola de qualquer jeito. E o Mirandinha, sem titubear:
– Professor, eu corro muito rápido, não dá tempo de pensar. Se eu pensar, não consigo correr...

QUEM FALA?

Um grupo de jogadores daquele milionário time de futebol estava na sauna do clube quando toca um celular, que estava num banco. Um dos craques atende.

– Alô!

– Querido?

– Querida?!?!

– Está na sauna?

– Sim.

– Estou em frente a uma loja de roupas com um vison magnífico, lindo. Posso comprá-lo?

– E quanto custa?

– Só R$ 3 mil.

– Bom, está bem.

– Olha, acabei de passar na concessionária BMW e vi a X-5. É fantástica. Falei com o vendedor, que nos faz um preço de amigo, e como estamos mesmo precisando substituir a Mercedes do ano passado...

– Quanto é o preço "de amigo"?

– Amor, só R$ 185 mil.

– Ok. Mas, por esta grana, quero com todos os opcionais, certo?

– Olha, antes de desligar só mais uma coisa.

– O quê?

– Hoje de manhã, passei em frente da imobiliária e reparei que aquela casa que vimos no ano passado estava à venda. Lembra? Aquela com piscina, jardim e churrasqueira, completamente isolada, em frente daquela praia magnífica?

– E quanto ela custa?

– Meu querido, só custa R$ 850 mil.

– Bom, como não temos ainda muitas casas, pode comprar, mas pague, no máximo, R$ 820 mil.

– Está bem meu amor. Obrigada. Então, até logo!

– Até logo.

Depois de desligar, o boleiro vira-se para o grupo, atento, e pergunta:

– De quem é o celular?

DUPLA DE ATAQUE

Segundo tempo de um inflamado Fla-Flu, da década de 1960, o centroavante tricolor Mickey recebeu um passe todo torto, na pequena área. Ainda assim, conseguiu dominar a bola, que viera quadrada, mas a chutou nas nuvens. O repórter de campo, atrás do gol, não perdeu tempo:

– Rapaz... parece até jogada daquela dupla trapalhona do cinema: o Mickey e o Mouse!

E o comentarista:

– Você está enganado meu caro, essa é a dupla de ratinhos da Disney! Deve estar fazendo confusão com outra dupla de artistas de Hollywood: o Mickey e o Rooney...

AUTORIDADE NO ASSUNTO

HISTÓRIA ABSOLUTAMENTE verídica, confirmada por vários jornalistas europeus. Toca o telefone na gerência de uma sofisticada revendedora da Ferrari, em Milão. É a dona de um modelo 360 Modena – daquelas que têm câmbio com pequenas alavancas no volante, como as da F1. Ela quer trocar o carro, por não ter se adaptado ao sofisticado sistema:

– Mas como, minha senhora? Isso é o que há de mais moderno! Se quiser, mandamos um técnico lhe ensinar como se usa!

A mulher recusa, explicando que o seu marido já lhe ensinou, mas ela simplesmente não gostou:

– Me desculpe, minha senhora, mas o seu marido não deve ter lhe ensinado corretamente. Seu marido, por acaso, é o Michael Schumacher? – brinca o vendedor.

– Não, é o Mika Hakkinen! – dispara ela.

E o carro de Erja Hakkinen (esposa do bicampeão mundial de F1, competindo com Schumacher) foi mesmo trocado. Sem maiores discussões...

DUELO DE TITÃS

Em campanha política, Tancredo Neves foi convidado por um presidente de clube do interior a assistir a uma partida de futebol entre o time da cidade e um visitante.

O dublê de cartola e alcaide era conhecido por sua burrice colossal. E como o time da casa ia levando uma goleada, Tancredo resolveu mudar o assunto de futebol para política e perguntou:

– E aí, senhor prefeito, como vai a Zona Rural?

E o cara, balançando a cabeça, meio desapontado:

– Olha, seu Tancredo, depois que a Rosinha foi embora, caiu bastante o movimento da zona. Já a minha Rural vive com o motor quebrado. Estou pensando seriamente em vendê-la....

Tancredo arqueou o sobrolho, olhou para o lado e comentou baixinho com o secretário de Esportes do município, que assistia ao jogo na cadeira ao lado:

– Puxa, esse prefeito não tem cultura alguma.

E o secretário (mostrando-se à altura do tal cartola) rebateu de bate-pronto:

– O senhor diz isso porque ainda não viu o milharal que ele cultiva lá do outro lado do rio...

O FOLCLÓRICO GENTIL

DÉCADA DE 1950. Depois de uma derrota feia para o Olaria, o folclórico técnico Gentil Cardoso dirigia um coletivo na Portuguesa do Rio, com a presença dos enfurecidos dirigentes – todos comerciantes da rua do Mercado.

O apronto era para o jogo contra o Bangu, e, para mostrar que estava tomando alguma atitude, o treinador tratou logo de barrar meio time titular.

Fazia um calor infernal, e ao final do segundo tempo os reservas, reforçados por boa parte dos antigos titulares, venciam por 1 a 0.

Gentil, no apito, favorecia escandalosamente os novos titulares, mas o centroavante Anísio, um negão de dois metros de ruindade, só chutava (quando chutava) na marquise, e ainda culpava o famoso vento (o campo da Portuguesa era chamado de Estádio dos Ventos Uivantes).

Para piorar, o zagueirão Gagliano, extremamente eficiente, mas também barrado na farsa armada pelo treinador para acalmar os cartolas, neutralizava todas as jogadas de ataque na defesa dos reservas.

Doido pra ir tomar uma chuveirada e sabendo que o treino só acabaria quando os titulares empatassem (e o segundo tempo já durava mais de 50 minutos!), Gagliano convenceu o destrambelhado Anísio a ficar dentro da área, prometendo-lhe fazer um pênalti.

Em um córner, a bola ainda vinha pelo alto, e Gagliano já suspendia o negão, recebendo um olhar de agradecimento do "Professor" Gentil. Bola na marca fatal.

Ao ver, contudo, que o horroroso centroavante se preparava para bater, Gentil se adiantou:

– Negativo. Vocês sabem que dia é hoje no calendário chinês? Dia da Suprema Humilhação. Quem comete falta grave contra o seu semelhante tem de ser humilhado! Existe provação maior do que chutar contra as próprias redes? Pois, então, senhor Gagliano, que isto lhe sirva de exemplo pra toda a vida!

E, passando pelo becão, sussurrou baixinho:

– No canto esquerdo, com força, que o sol está torrando os meus miolos...

◆

Outra deliciosa história de Gentil é registrada no livro *Nem tudo é futebol*, de Sérgio Redes.

O Vasco treina em São Januário, e o técnico dirige a equipe das arquibancadas, munido de seu famoso megafone.

Bola vai, bola vem, a redonda chega ao ponta-direita Frazão. Cumprindo o que fora determinado na preleção, o meia-direita se apresenta; o centroavante cai nas costas do quarto-zagueiro e o meia-esquerda entra livre. Cabeça baixa, Frazão tenta o drible e perde a bola. O vozeirão de Gentil, amplificado pelo megafone, ecoa no clube:

– Passa a bola, Frazão!

Aborrecido com a repreensão pública, o ponta faz um gesto de desagrado com as mãos e balbucia algo que ninguém, fora das quatro linhas, consegue ouvir. Novamente a voz ecoa pelo estádio:

– É a tua, Frazão!!!

E o auxiliar-técnico intervém, de dentro de campo:

– Mas ele não disse nada, “professor”.

– Pode não ter dito, mas pensou...

BALANÇANDO O VÉU DA NOIVA

JOEL PEREIRA é uma apaixonado pelo Flamengo. Qualquer dia, em qualquer situação, lá está ele envergando o "manto sagrado". Já virou uma figura folclórica na cidade de Valença. Em 1978, justamente na data da decisão do Campeonato Carioca, Joel foi convidado para ser padrinho de casamento – e a cerimônia era na hora do jogo...

Como não podia recusar o convite, nosso herói vestiu, sobre a camisa rubro-negra, uma social, colocou terno e gravata e, no bolso interno do paletó, escondeu um radinho de pilha. Na hora do casório (e da decisão), assim como quem não quer nada, puxou o "egoísta" do bolso e colocou-o em um dos ouvidos.

A noiva, como de hábito, atrasou um bocado, a bola rolou bem antes, e Joel firme, lá do lado do altar, sofrendo com a transmissão da partida. Já no final da cerimônia – e do jogo –, córner a favor do Fla, Zico bate e Rondinelli, de cabeça, marca o gol da vitória e do título.

– GOOOOOOLLLLLL! – explode o padrinho.

Pasmos, os noivos e o padre se entreolham, sem entender o que estava acontecendo. Até que vários outros convidados gritam, quase que em coro:

– De quem? De quem?
E pela primeira vez na história de Valença os noivos deixaram a igreja não ao som da tradicional marcha nupcial, mas sob um poderoso e eufórico grito de MEEENNN-GÔÔÔÔ!!!

BOLA NAS COSTAS

Três jornalistas esportivos que trabalhavam na final de um dos campeonatos de 2003 (dois de fora do estado da decisão e um local) combinaram se encontrar, após a partida, na casa do repórter que tinha "o mando de campo".
Lá chegando, foram recepcionados por três belas mulheres – "profissionais" contratadas pelo anfitrião. Uísque pra cá, cerveja pra lá, logo estavam todos nus, no mesmo quarto. No meio da zorra toca um celular e uma das moçoilas sai em disparada para atender.
– Deve ser o meu noivo me caçando!
Após uma olhada rápida no visor, ela atende a ligação, esbaforida:
– Oi, meu amor! Claro que vi que vocês foram campeões! Onde estou? Estou comemorando com umas amigas. Mas em meia hora estarei aí.
Nessa altura do campeonato, o riso era geral e já não havia clima para mais nada. O trio de repórteres desconfiou que uma das pistoleiras era noiva de um dos jogadores. A certeza veio com o final do telefonema:
– Meu bem, você é um dos melhores marcadores do Brasil. Dentro e fora de campo. Se continuar marcando desse jeito, você não vai tomar bola nas costas, nunquinha!
Dito isto, desligou, catou as roupas pelo chão da casa e saiu correndo...
Pano rápido!

POBRE SACI...

Bagá, quem diria, aderiu à internet! E foi de lá que pescou a frase do dia:
– Chefia, a mulher mais segura do mundo é a namorada do saci! E sabe por quê? Ela tem a certeza de que se levar um pé na bunda quem dança é ele...

PENSANDO BEM...

O historiador Ilauro de Oliveira me conta deliciosa história, ocorrida em sua Cachoeiro do Itapemirim:

"Jogavam Estrela do Norte e Comercial de Muqui. O árbitro era o famoso Harmonia. Sua fama não vinha bem do talento, mas de sua escancarada paixão pelo Estrela do Norte.

Começa o jogo, e o Estrela, tranqüilo, faz um, dois, três, quatro, cinco gols. No final do primeiro tempo, um lance polêmico: um gol (que seria o sexto) em possível impedimento.

Estava, não estava; foi, não foi... Diante da fatura aparentemente liquidada, Harmonia resolveu:

– Foi banheira, sim, senhores. Gol anulado!

Veio o segundo tempo e... surpresa! O time de Muqui marca um, dois, três, quatro, cinco gols! Jogo empatado, aos 44 do segundo tempo: 5 a 5. Bola no centro para nova saída, o juiz chama os capitães e decreta:

– Lembram-se daquele gol que anulei no finzinho do primeiro tempo? Pois, pensei melhor, e agora tá valendo. Estrela 6 × 5!

Ato contínuo, apita o reinício e, um segundo após, o final do jogo..."

TRANSA MÁGICA

Depois de mais um jogo do seu time, um boleiro carioca se dirige ao estacionamento do Maracanã e lá se depara com uma fogosa Maria Chuteira. Rápido no gatilho, ele dispara:

– Você está a fim de fazer um amorzinho mágico?

A gata não entende direito e pergunta como é isso:

– É muito simples: a gente transa e depois você desaparece...

◆

Observação do Bagá:

– Pode até desaparecer agora, mas depois reaparece, em programas de auditório, na TV, pedindo exame de DNA...

ESTUDIOSO

O Atlético Mineiro fazia pré-temporada no interior de Minas, e aproveitando as folgas, os jogadores passeavam pela cidade para paquerar as meninas. Num dia, o volante Éder Lopes e o lateral Paulo Roberto puxaram papo com duas jovens e, conversa vai, conversa vem, Éder resolveu impressioná-las, dizendo que além de jogar futebol estudava medicina. Foi aí que a garota resolveu perguntar como ele conseguia conciliar as duas atividades:

– Como você faz? Estuda matutino ou vespertino?

E o Éder, na maior marra, lascou a resposta:

– Eu sou estudioso. Faço as duas matérias...

CRAQUE PERNETA

DISPUTAVA-SE A FINAL de um torneio de pelada no Aterro quando um dos times ficou sem um jogador, contundido seriamente. Pior, não havia mais reservas. Eis que surge um inusitado voluntário:

– Eu entro na ponta!

Pasmo entre atletas e espectadores, pois o cidadão não tinha uma das pernas. Apoiava-se numa muleta de pau. Conversa daqui, confabula dali, o capitão do time desfalcado resolve:

– Melhor um perneta do que menos um.

E o manquitola entra, todo animado. Na primeira jogada, a surpresa: o cara era um cracaço!

Jogava de muleta, mas chutava muito bem com a perna que tinha, corria o campo todo e demonstrava uma garra de fazer inveja. Logo, transformou-se na alma de sua equipe.

Eis que, numa bola pingando na área, o manco levanta a muleta e, com uma pancada seca, acerta o ângulo do gol adversário!

Delírio no campo e na platéia. Mas ouve-se o apito do árbitro invalidando o gol. Discussão e empurrões, e o juiz se justifica:

– O gol foi com a mão!

– Mas sua senhoria, a muleta é pé, não mão – defende-se o perneta.

E o árbitro, na maior cara-de-pau, altera o motivo mas mantém a decisão:

– Então foi jogo perigoso. Pé alto...

Revoltada, a torcida invade o campo e o pau quebra, no maior sururu. Afinal de contas, muleta é pé ou mão? Até hoje não se chegou a um veredicto. Nem aquele jogo ao final...

VALE-IGUALDADE

Pérola pinçada de uma prova de estagiários:

"Qual a sua opinião sobre a importância do Vale do Paraíba?", era a pergunta.

E a resposta...

"O Vale do Paraíba é de suma importância, pois não podemos discriminar esses importantes cidadãos. Se existem o vale-transporte e o vale-idoso, por que não o vale-do-paraíba??!!!"

ENXADRISTA SINCERO

Miguel Pereira, na região serrana do Rio, domingo passado, segundo e último dia de competição do III Regional de Xadrez da cidade. Noventa enxadristas, entre eles mestres internacionais e mestres FIDE de Rio, São Paulo e Minas, disputam um forte torneio.

Começa a rodada final, mas a competição já acabou para o atual campeão estadual sub-8, Cassiano Campos. Em um canto do grande salão, onde reina um ambiente de tensão, concentração e silêncio, o menino, há dois dias fora de casa (mora em Nova Iguaçu), liga do celular para a mãe, para lhe transmitir os resultados de suas seis partidas. Em alto e bom som, Cassiano é sucinto:

– Mãe? PERDI TODAS!!!

O silêncio é inevitavelmente quebrado, e os risos gerais!!! A franqueza do pequeno enxadrista encantou até mesmo os mais sisudos dos grandes mestres.

NOS TEMPOS DO BANGU CAMPEÃO

O VASCAÍNO Milton Coelho da Graça, ex-editor-chefe de *O Globo*, me manda uma deliciosa história:

"Renato, estou para te mandar esta estorinha desde o aniversário do Bangu. Mas acho que ela não perde atualidade porque ainda estamos no ano do centenário. Como você sabe, o Castor (de Andrade, bicheiro e 'dono do clube') brigou com o Tim (Elba de Pádua Lima, o técnico de então) e demitiu-o poucos dias antes do início do campeonato de 1966.

Todo o time – uma chusma de craques – adorava o velho estrategista, e a expectativa geral era de que o novo treinador iria sofrer para controlar a rapaziada banguense. Na segunda, se não estou enganado, o presidente do Bangu anunciou a contratação de Alfredo Gonzalez, um meia-esquerda uruguaio que fora ídolo das torcidas do Vasco e do Flamengo na década de 1940.

Na terça-feira, Gonzalez chegou ao Estádio Proletário para começar seu trabalho. A diretoria o recebeu em grande estilo, e os corações ficaram aflitos pensando em como ele seria recebido pelos jogadores, que conversavam e brincavam no centro do gramado. Gonzalez, baixinho e já barrigudinho, pegou uma bola na lateral do campo e caminhou em direção às feras.

Quando chegou na linha do círculo central, solou a bola e começou a fazer uma embaixadinha: 1, 2, 3, 4, 10, 20, 30, 40, 50, já tinha passado das 60 quando deu um bico para o alto, bem lá no alto, esperou a perseguida com a maior calma, matou no peito, deixou escorregar até o bico da chuteira, bem paradinha, e aí olhou para os espantados jogadores:

– Señores, yo soy el nuevo entrenador, Alfredo Gonzalez. Vamos empezar el entrenamiento?

O título começou a ser conquistado ali."

PÉROLA DA INTERNET

A casa do craque estava vazia e silenciosa. O ladrão pula a janela e começa a andar pela sala.

– Jesus está te olhando! – diz uma voz.

O larápio pára, apavorado. Nervoso, olha em volta. Num canto escuro, nota uma gaiola e um papagaio dentro dela. À meia voz, pergunta ao pássaro:

– Foi você que disse que Jesus está me olhando?

– Sim – responde o louro.

Aliviado, o gatuno até suspira. Mas quer saber:

– Qual é o seu nome?

– Louro.

– Mas este é um nome muito comum para um papagaio. Quem foi o idiota que te botou este nome?

– O mesmo que batizou como Jesus aquele *rottweiler* ali, ó...

BURROS NA PISTA

Em 1984, quando estava entrando na F1, Ayrton Senna disparou, durante uma coletiva:

– Vou vencer na F1 porque sou canhoto e não sou burro.

Na época do câmbio manual, de fato, os canhotos, ao menos na teoria, levavam alguma vantagem sobre os pilotos destros, porque não precisavam tirar a mão mais importante do volante, para trocar as marchas. O jornalista Lemyr Martins, amigo de Senna, então questionou-o:

– Sabemos que você é canhoto, mas por que você não se considera burro?

Ayrton torceu o nariz e nem respondeu. Já em 1991, quando a McLaren estava desenvolvendo o câmbio semi-automático, Senna e Lemyr conversavam às vésperas de uma corrida, e Lemyr ponderou:

– Agora, com os carros de câmbio semi-automático, você perdeu a vantagem que tinha por ser canhoto.

E Senna não perdeu a chance:

– Pois é, agora somos 25 burros...

Na época, apenas 24 pilotos disputavam a F-1...

VÔLEI DE OURO, EM TRÊS TEMPOS

1. Um *tie-break* inesquecível

O jogo? O jogo foi o *tie-break*. Um dos mais espetaculares que já vi, com uma particularidade que nunca vi: um *match point* disputado num rali impressionante, que acabou em uma vitória espetacular da seleção brasileira masculina de vôlei sobre a Itália (25/21, 15/25, 25/16, 21/25 e 33/31).

Pode ser que eu esteja sendo precipitado e esteja me deixando levar pela emoção de uma disputa inesquecível. Mas me arrisco a dizer que, ontem, no Ginásio Paz e Amizade, em Atenas, pintou a medalha de ouro. Pintou o novo campeão olímpico: o Brasil.

A partida, uma reedição da final da Liga Mundial, foi peculiar. Nos primeiros quatro *sets*, os dois times esbanjaram irregularidade. E todas as vitórias nestas parciais acabaram sendo curiosamente fáceis.

Na hora H, entretanto, o equilíbrio que faltou na maior parte do jogo sobrou no *tie-break*. E Brasil e Itália foram esgrimindo lance a lance, sem que nenhuma das duas seleções conseguisse abrir vantagem maior do que dois pontos (na maioria das vezes, um mesmo).

Foi assim que os times começaram a trocar *match points*, a partir do décimo quarto ponto. E a torcida, enlouquecida no ginásio, simplesmente perdia o fôlego a cada saque, a cada cortada e a cada bloqueio.

A grande jogada da partida, contudo, já fora feita no final do quarto *set*. Foi quando Bernardinho, desesperado com o péssimo rendimento do seu time, naquele instante, fez entrar, de uma só vez, Rodrigão, Giovane e... Nalbert!

E foi o capitão brasileiro (que ainda não jogara em Atenas) quem chamou a responsabilidade para si e incendiou a seleção brasileira. Sacando, ele quase levou a time a se recuperar, ainda no quarto *set*. Depois, no *tie-break*, nos pontos mais importantes, foi ele também quem pediu a bola e para quem Ricardinho fez as levantadas, nas jogadas mais difíceis.

Não foi à toa que, encerrada a partida, num rali de causar infarto,

Bernardinho invadiu a quadra e correu para abraçar Nalbert. Nem tudo, porém, são flores:

– Nalbert sentiu a sola do pé. Vamos ver como reage amanhã, me disse Bernardinho, à saída.

Se reagir bem, não duvidem, meio caminho para o ouro já está andado. E muito bem andado.

2. O melhor levantador do Mundo

Fui, na juventude, um medíocre levantador de vôlei (com passagens rápidas nas divisões de base de Botafogo e Flamengo e, um pouco mais longas, em times de colégio e universidades).

Era levantador, na época em que "baixinhos" como eu (1,75m) ainda existiam nas quadras e o voleibol brasileiro começava, timidamente, a ensaiar algum sucesso no cenário internacional.

Joguei, entre outros menos votados e famosos, com Fernando (da geração de prata) e Jean-Luc Rosat, o Suíço (também seleção brasileira, um pouco antes).

E, por conhecer razoavelmente o ofício, estou até agora boquiaberto com o que Ricardinho vem fazendo nos últimos torneios, em geral, e nas Olimpíadas, em particular.

Giba (que atacante!), André e Dante são espetaculares? Gustavo e André Heller, excelentes no bloqueio e no meio? Nalbert, um capitão e tanto? Ok! Mas nenhum jogaria tanto não estivesse Ricardinho em fase tão soberba.

De suas mãos não sai sequer um lance óbvio, uma levantada previsível. Venha o passe na mão, ou "quadrado", seja a bola rápida ou lenta, no último instante, em um átimo de segundo, Ricardinho faz a finta, muda surpreendentemente a direção da bola e, pronto, lá se foi o bloqueio, a muralha, antes intransponível.

E tome de bomba dos nossos cortadores. Todos, repito, magníficos – inclusive os reservas. Mas cortar com um bloqueio quebrado (e muitas vezes até sem bloqueio!) é bem melhor, não?

Um privilégio raro. Privilégio de quem joga ao lado do melhor levantador do Mundo. Um levantador de ouro.

3. Macumba, não, competência!

Quando Giba cravou na quadra da Itália mais uma daquelas bolas fantásticas, batida de trás da linha de três metros (saltando no tempo, numa finta "desmico" com Gustavo, o cortador do meio), o jornalista italiano, sentado ao meu lado, na tribuna de imprensa do Ginásio da Paz e Amizade, não agüentou:

– *Mamma mia*...

O pobre coitado clamou pela mãe, suspirou fundo e saiu batucando furiosamente nas teclas do seu computador mais um daqueles textos chorosos em que, logo na abertura, já voltava a evocar a macumba brasileira para justificar mais uma derrota da Azzurra no voleibol.

Era o décimo quarto ponto do quarto *set*, e a jogada evidenciara, uma vez mais, a sutil (mas significativa e decisiva) diferença técnica entre os dois times.

A Itália iniciara o lance tentando fazer rigorosamente a mesma finta com que Ricardinho e Giba a encerraram. Só que a dos italianos não saiu tão bem-feita; a bola raspou na rede e deu defesa. Veio o contra-ataque, o lance milimetricamente perfeito dos brasileiros, e, pronto, o desabafo e a "inspiração" para o meu colega...

Nem precisaria tanto. O jogo foi um autêntico recital brasileiro. Embora os italianos tenham chegado a ganhar um *set* (o segundo), o Brasil foi melhor a maior parte do tempo e liquidou a final olímpica em 1h37m – não dando margem a nenhuma dúvida sobre quem merecia o ouro (25/15, 24/26, 25/20, 25/22).

Se a primeira partida entre as duas seleções, em Atenas, fora de um equilíbrio impressionante (decidida num *tie-break* de causar infarto e que só acabou em 33 a 31, para o Brasil), a decisão mostrou por que este timaço é Campeão do Mundo, da Liga Mundial, da Copa do Mundo e, agora, medalha de ouro olímpica.

Sacando muito bem, bloqueando com grande eficiência (esta é a primeira seleção brasileira da história a ser tão eficiente neste fundamento), defendendo uma barbaridade (Escadinha foi o melhor líbero do campeonato e Giba chegou a levantar o ginásio, no primeiro *set*, com duas defesas sensacionais no mesmo lance), o Brasil de Bernardinho finalizou a sua atuação de gala atacando com potência e precisão impressionantes.

Enfim, justificou de forma incontestável a sua fama de "máquina de jogar voleibol" e melhor do mundo neste esporte.

Uma equipe tão forte e homogênea que pode se dar ao luxo de disputar os Jogos Olímpicos com dois de seus principais titulares (o capitão Nalbert e Rodrigão) no banco de reservas, por não estarem em condições físicas ideais. Isso sem falar em Giovane, que fora peça fundamental na Copa do Mundo e na Liga Mundial, jogando uma barbaridade, quando substituiu Giba, então contundido.

Bernardinho deixa Atenas indiscutivelmente consagrado também como o melhor treinador de vôlei do planeta, pois conseguiu a proeza de formar e levar às raias da perfeição um grupo homogêneo, com titulares e reservas do mesmo nível, todos trabalhando em prol do conjunto.

O resultado está aí: um time praticamente imbatível, que conquistou 12 das 15 competições que disputou até Atenas (inclusive) e não precisa de macumba (como choram os italianos) por um simples motivo: esbanja competência.

PROFECIA

Década de 1960, Maracanã, Vasco × Flamengo. Cinco minutos de jogo, o locutor da Adeg (atual Suderj) anuncia, com seu vozeirão empostado:

– E atenção, a Adeg informa: no Pacaembu, Santos 1 × Corinthians 0, Pelé!

Segue o jogo no Maraca e, aos 15 minutos, o locutor ataca outra vez:

– E atenção: a Adeg informa: no Pacaembu, Santos 2 × Corinthians 0, Pelé!

Quase no final do primeiro tempo, novamente, o locutor anuncia:

– E atenção, a Adeg informa: no Pacaembu, Santos 3 × Corinthians 0...

E antes que ele pudesse completar, o Maracanã inteiro, entoou em coro:

– PELÉ!

Bingo...

FOG FAJUTO

ROBERTO SANDER, que lançou, recentemente, o seu livro sobre a década de 1940 (que não teve Copa), me envia alguns aperitivos da sua obra:

"Nos anos 40, não faltavam locutores talentosos. Um dos mais famosos era Oduvaldo Cozzi, o rei das metáforas. Ele gostava de 'colorir' as transmissões criando imagens, fazendo um pouco de poesia. Cozzi trabalhava sempre com dois repórteres – os chamados pontas –, que ficavam atrás das balizas. Eram eles Mário Tereré e Canarinho. Mas ambos tinham um grave defeito: faziam o tipo vaca de presépio. Concordavam com tudo que Cozzi dizia e por isso eram alvo de muitas críticas. Quando acionados, enfadonhamente, apenas repetiam:

– Foi exatamente isso que você disse, Cozzi. Realmente, o chute do atacante passou muito perto...

Preocupado com a *performance* dos seus 'trepidantes', o locutor fez uma reunião para recomendar-lhes que discordassem quando, eventualmente, a sua narração não fosse fiel ao lance. Aparentemente, tudo ficou esclarecido. No jogo seguinte, um Flamengo e São Cris-

tóvão em Figueira de Melo, Oduvaldo Cozzi abriu a jornada inspirado:
– Nesta tarde, Figueira de Melo mais está parecendo um estádio inglês. Temos aqui um *fog* londrino que mal nos permite enxergar o gramado...
Nem bem Cozzi completava a frase e, querendo mostrar logo que de fato entendera a orientação do chefe, um dos 'sagazes' repórteres, abruptamente, cheio de convicção, bateu de primeira:
– Isso não é *fog* coisa nenhuma, Cozzi. É só a Maria-Fumaça que está passando aqui do lado de fora do estádio..."

◆

O Flamengo fazia uma excursão ao interior de Minas Gerais com o supertime de Zizinho e Cia. Em Cambuquira, o time ficou hospedado no Hotel Imprensa. Num dia de folga, os jogadores foram conhecer as belezas da região. Na volta, Vevé e Perácio não resistiram à tentação e pararam num botequim. O "abastecimento" de Perácio foi rápido, mas Vevé, que tinha sérios problemas de bebida, ficou por lá. Ao retornar, mesmo caminhando na ponta dos pés, Perácio não escapou de, no corredor do hotel, dar de cara com o austero técnico Flávio Costa. Levou um sermão:
– Se endireite, rapaz! Você foi ao ápice. Tem um nome a zelar. Não pode ser tão irresponsável!
Perácio ouviu a bronca quietinho. Quando se virou para entrar no quarto, Flávio lembrou de perguntar por seu companheiro.
– E o Vevé, onde está?
– Ah, seu Flávio, ele ficou lá no Ápice!!!

O KAISER DE MOÇA BONITA

Na década de 1980, treinava no Bangu um tremendo enganador, chamado Kaiser. Era um perna-de-pau, que, na maior parte do tempo, alegava algum tipo de contusão para passar mais tempo no departamento médico que no gramado.
Desconfiado, o todo-poderoso bicheiro Castor de Andrade certo dia man-

dou relacionar Kaiser para um jogo contra o Coritiba, em Moça Bonita. Queria ver se o malandro valia o (pequeno) salário que ganhava.

Jogo duro, o Coritiba faz 2 a 0. E Castor manda uma ordem explícita para o banco de reservas:

– Coloca o Kaiser que eu quero ver agora do que esse malandro é capaz!

E Kaiser vai aquecer, já imaginando o mico que iria pagar e o fim da boquinha como eterno reserva. Eis que, de repente, como possuído pelo demônio, ele corre em direção ao alambrado, escala-o com fúria e se atira sobre a torcida, iniciando uma briga colossal. Expulso antes mesmo de entrar em campo, é cobrado por Castor, no vestiário:

– Doutor, preciso lhe explicar a confusão. Todo mundo tem um pai. Eu tenho dois: o meu pai biológico e o senhor! Quando estava aquecendo, escutei um grupo de torcedores xingando-o das piores coisas possíveis. Não agüentei e parti para as vias de fato!

Castor não acreditou muito na história, mas, emocionado, renovou o contrato de Kaiser – por mais um ano inteirinho e com um bom aumento...

ATÉ TU, MÃE?

Jogo decisivo do campeonato carioca de basquete, há alguns anos. No time da casa, dirigido por Miguel Ângelo da Luz, atuavam os dois filhos do vice de esportes amadores do clube. Um era titular, porque jogava muito. O outro, bem ruinzinho, ficava no banco.

A poucos minutos do final, a equipe de Miguel perdia feio e, já no desespero, o técnico chamou o filho "pereba", começando a lhe dar instruções. Foi quando da tribuna de honra se debruçou a mulher do cartola, mãe dos garotos e famosa por seu jeito autoritário:

– Miguel, Miguel: esse, não!

Surpreso e sem graça, o pobre garoto só pôde olhar para cima e balbuciar:

– Poxa, mãe, até você?

COR ERRADA

Carlos Lima era o locutor da extinta TV Tupi e ouviu alguém usar o adjetivo ebúrneo. Deduziu que seria em relação à cor do ébano, ou seja: negro.

Passou, então, um jogo inteiro do Flamengo chamando o Fio Maravilha de "craque ebúrneo da equipe rubro-negra"! Teve telespectador morrendo de rir. Ebúrneo quer dizer branco como marfim. Fio Maravilha sempre foi negro – "como as asas da graúna"...

UM JUIZ CHAMADO ZÉ GAVETA

VICTOR KINGMA, meu contador de "causos" predileto, *rides again*: "Era mais uma partida histórica da Liga Mantiqueirense. O time local, o Catauá, enfrentaria, na final, a equipe do distrito vizinho de Passa Três. E novamente o já lendário e esburacado estádio 'Mantiqueirão' sediaria a grande decisão.

No grande dia, a bola rola em clima de enorme tensão e desconfiança: o Passa Três ainda não se conformara com a indicação do controvertido árbitro Zé Gaveta para a final.

Empurrado por sua fanática torcida, que lotava os morros da periferia, o Catauá, precisando da vitória, joga o tempo todo no ataque, mas o gol não sai.

Zé Gaveta, até que tenta dar uma mãozinha: em duas jogadas duvidosas na área, marca pênalti. Mas Feitiço, goleiro que trocara o Catauá pelo Passa Três, estava em tarde inspirada e, nas duas ocasiões, defende as penalidades.

O jogo se aproxima do fim, e o Passa Três está com a taça nas mãos... Entretanto, um acontecimento extracampo começa a preocupar os visitantes: o Coronel Sá Fuentes, o lendário fundador do Catauá (que, devido à idade avançada, já não freqüentava com tanta assiduidade os jogos), chega ao Mantiqueirão. Montado em seu cavalo, traz, como sempre, o famoso trabuco 38 na cintura...

Informado de que a partida estava acabando e que seu 'amado time' ia deixando fugir o título, o coronel adentra a cancha, montado no tordilho e disparando tiros a torto e a direito.

Seguem-se quinze minutos de pânico. Os jogadores do Passa Três, apavorados, fogem para o vestiário, e a partida é interrompida.

A decisão fica em suspensa até o dia seguinte, quando 'sua senhoria' entrega na sede da liga regional a súmula esclarecedora. Eis o relato 'insuspeito' do árbitro Zé Gaveta:

'Aos 43 minutos do segundo tempo, com o placar em 0 a 0, a peleja teve que ser interrompida, pois a cancha foi invadida por um cavalo selvagem, que corcoveava, alucinado, e desferia coices pra todo lado. O Coronel Sá Fuentes, que montava o quadrúpede, fazia de tudo para contê-lo, mas a besta-fera mostrava-se indomável. Preocupado com a segurança dos jogadores, o coronel desferiu vários tiros, para alertar os atletas da presença do feroz animal...'

Registro ainda que alguns incidentes foram verificados e dois destes tiros de alerta acabaram furando uma das bolas e atingindo, por casualidade, o pé do artilheiro Canhoteiro do Passa Três.

Serenados os ânimos, fui aos vestiários e chamei os times para jogarem os três minutos finais. Entretanto, como a equipe do Passa Três, INEXPLICAVELMENTE, se negava a voltar a campo, dei como encerrada a contenda e registrei a conseqüente vitória do Catauá, que assim se sagrou campeão, por causa do abandono de campo por parte do adversário..."

CULPA DA IMPRENSA

Tim era técnico do Guarani, e antes de enfrentar o Santos, em Campinas, armou um esquema, segundo ele, infalível para marcar Pelé. Veio a partida, e a tática foi um sucesso. O placar ficou em 1 a 1, e Pelé não andou em campo.

No jogo de volta, na Vila Belmiro, Tim repetiu o esquema, até porque os campos tinham dimensões parecidas... Goleada santista. Cinco gols de Pelé!

– Mas, o que deu errado? – perguntava a um repórter o desolado Tim, no vestiário. O esquema funcionou bem em Campinas!

– É, Tim, a diferença é que hoje veio a equipe de uma revista francesa para tirar umas fotos e fazer uma matéria de capa com o Rei – contou um repórter.

– Mas essa maldita reportagem tinha que ser logo contra mim?!?!? – bramiu, inconsolável, o Tim.

ENCOMENDA ERRADA

Primeira Taça Brasil, em 1959. Disputavam o título o Santos de Pelé & Cia. e o Bahia. Primeiro jogo, na Vila Belmiro, apesar da presença do Rei, em grande forma, o Bahia venceu por 3 × 2. Por isso, na Fonte Nova jogaria pelo empate.

Por sugestão de Vicente, o marcador de Pelé, os jogadores sugeriram ao presidente do clube, Osório Vilas Boas, a contratação de uma mãe-de-santo, famosa pelo resultado de seus "trabalhos".

Sugestão aceita, o massagista do time foi à casa da macumbeira, que lhe pediu informações, para poder "amarrar" as pernas do Rei. Na hora do jogo, entretanto, Santos 2 × 0, com o negão "arrebentando".

Revoltado, o time do Bahia foi tomar satisfações com a mãe-de-santo, que disse não entender o que houve, pois o trabalho fora feito. Para provar, mostrou um boneco de tecido preto, com agulhas espetadas nas pernas, vestido de camisa e calção brancos. O número, porém, era nove – o de Coutinho, que, coincidência ou não, nada fizera no jogo.

O massagista, que era analfabeto, foi demitido e novo trabalho encomendado.

Na negra, no Maracanã, o Bahia conquistou a Taça Brasil, derrotando o Santos por 3 × 1. E Pelé não jogou nada...

DIREITOS IGUAIS

O torcedor foi registrar a filha num cartório.

– Que nome o senhor quer dar a ela? – perguntou-lhe o escrivão.

– Arquibancada do Corinthians.

– Arquibancada do Corinthians?!?! Que tolice é esta? Não posso permitir um nome tão absurdo. Escolha outro...
– Mas eu tenho um amigo que colocou num filho um nome muito parecido.
– E como ele se chama?
– Geraldo Santos.

GOLPE DA MARRA

Certa noite, João Saldanha e sua mulher foram a um badalado restaurante no Leblon. Lá, um senhor aproximou-se e, em voz baixa, pediu:
– João, eu acabo de contar para os meus companheiros, ali na mesa do fundo, que sou seu amigo e que sempre trocamos idéias sobre futebol. Se eles te virem agora e você não falar comigo, estou desmoralizado. Por favor, passa lá na mesa e me cumprimenta rapidinho. Basta falar: "E aí, Arnaldo, o que é que manda?". Pelo amor de Deus, João, faz isso por mim, não vai te custar nada e me salva a pele – suplicou. Sensibilizado, Saldanha deu um tempo, se levantou para ir ao banheiro e passou na tal mesa, dizendo:
– E aí Arnaldo, o que é que manda?
E o Arnaldo emendou, cheio de moral:
– Agora não, João, tô ocupado! Depois eu falo contigo...

MENGO OU MINGO?

O SAUDOSO Janos Lengyel – um húngaro brasileiro por naturalização e carioca por adoção – foi um dos melhores repórteres que conheci. Era uma figura admirável e adorável – no campo profissional e no pessoal. Era também um grande contador de histórias, e é de um livro seu (resgatado pelo meu fiel escudeiro Antônio Roberto Arruda) a deliciosa história que se segue.

Na época, década de 1950, Janos era representante de uma agência internacional de notícias no Rio. E contava, em seu livro:

"Ofereci a um grande jornal carioca fotos exclusivas dos jogos que o Flamengo faria na França. Redigi, então, um telegrama ao *bureau* central em Paris. Curto, claro e expressivo:

'MANDE URGENTE FOTOS FLAMENGO PARIS'

Telegrama passado, fui para casa tranqüilamente. Tinha tudo preparado para o grande sucesso dentro de três dias. O Flamengo jogou no sábado, e no domingo entrei na redação sob aplausos. Receber fotos de um acontecimento na Europa, com tamanha rapidez, era, naquela época, uma sensação. Todos regozijavam comigo a glória do furo.

O chefe do setor de esportes apanhou o envelope e levou-o para sua mesa. Lá, tratou de abri-lo e puxou a primeira fotografia. Não se entusiasmou. Puxou a segunda, a terceira, e rapidamente as outras. Estava completamente branco quando me chamou:

– Janos, cadê as fotos do Flamengo?

– Ora, estão aí, bem na sua mão.

– Essas são de outra coisa. Me dê as do futebol.

Quem então ficou branco fui eu. Olhei as fotos, as únicas que tinham vindo naquele avião. E vi que realmente não eram da partida de futebol. Longe disso. Eram do flamengo, sim, mas não do time. Eram do flamengo pássaro (no Brasil, mais conhecido como flamingo). E lá estava a ave brincando na água, dando pulos, esticando o longo pescoço, toda feliz...

No meio do drama comecei a rir. Os meus patrões parisienses, ao que parecia, jamais tinham ouvido falar de um clube de futebol que se chamasse Flamengo. Entenderam que eu precisava de fotos do pássaro..."

ESCALAÇÃO COMPLETA

Em recente homenagem aos craques do passado, a viúva de Ademir Menezes (o inesquecível Queixada) confirmou uma velha e deliciosa história, que parecia ser apenas folclore do futebol. Conta, dona Vilma:

"Como a defesa do Fluminense, formada por Castilho, Píndaro e Pinheiro, jogou junta anos a fio, o Píndaro viveu um caso muito curioso. Foi fazer compras e, quando disse o seu nome, o vendedor escreveu no recibo: senhor Castilho Píndaro Pinheiro. Píndaro mostrava a tal nota sempre que contava a história."

Ao lado da viúva de Ademir, Zizinho completou:

"O Pelé, ainda garoto, também caiu nessa. Ao ser apresentado ao Píndaro, ele disse: 'É um prazer conhecer pessoalmente o 'seu' Castilho Píndaro Pinheiro...'"

INIMAGINÁVEL

Uma do saudoso comentarista Rui Porto. Corria o Campeonato Carioca de 73, e o Flamengo enfrentava o Bangu, no Maracanã. Final do primeiro tempo, os rubro-negros venciam por 4 a 0 e Rui, como de hábito, fazia suas previsões ao microfone da rádio:

– Estamos assistindo a um tremendo passeio do Flamengo. No segundo tempo, porém, não tenham dúvidas: os rubro-negros vão se acomodar. Até porque se não se acomodassem, imaginem só, o placar poderia acabar em 8 a 0, o que é completamente inimaginável.

Final de jogo: Flamengo 8 × 0 Bangu. Somente Dario – o Dadá Maravilha – fez quatro naquela partida.

Dá pra imaginar?

RI DE QUÊ?

Primeira passagem de Evaristo Macedo como técnico no Fla, durante uma partida, na boca do túnel ele se desespera com uma bola perdida por Djalminha:

– Seu M..#$#. Só um F..##$ d P@#%$ perde uma dessas. Você é mesmo um #%$#!

No banco, ao seu lado, Marcelinho Carioca ria de se dobrar. E Evaristo, de bate-pronto:

– Tá rindo de quê, bobalhão? Você é reserva dele...

CACHOEIRA

Final da década de 1940, o Fluminense contratou um atacante pernambucano chamado Orlando.

Após algumas atuações brilhantes e vários gols marcados, Orlando recebeu do locutor Oduwaldo Cozzi – um grande tricolor – o apelido de "Pingo de Ouro", devido à sua baixa estatura.

Veio, então, o jogo entre o Fluminense e Botafogo, onde pontificava o genial e temperamental Heleno de Freitas. Já consagrado e especialmente vaidoso, Heleno dirigiu-se a Orlando antes do início da partida e, arrogantemente, disparou, o dedo em riste:

– Se você é o Pingo de Ouro, eu sou o Niagara Falls...

AULA DE GÊNIO

MEADOS DOS ANOS 70. O gramado do Andaraí estava escorregadio como quê. Menos mal que o fim daquele treino coletivo – que já ia para mais de 60 minutos – parecia estar bem próximo, como próximo também parecia estar aquele nosso martírio, sob a chuva fina de uma tarde de brumas e ventos, no pequenino estádio da rua Teodoro da Silva.

Foi o preparador físico apitar o final do coletivo e todos nós, jornalistas e jogadores, corremos para fora do campo, em busca de um refúgio e um café quente, no calor do vestiário do América. Caminhando calmamente, mãos nos bolsos do surrado agasalho, o indefectível boné quadriculado na cabeça e o inseparável cigarro a pender no canto da boca, o velho Tim foi o último a entrar no reduzido camarim.

Um gole de café de sua garrafa térmica particular (há quem diga que naquela garrafa líquido que jamais entrou foi café...), uma tragada profunda e "El Peón" surpreendeu a todos, saindo-se com esta:

– País, Uchoa, Valença, Aílton e Bráulio. Vamos voltar para o campo que o trabalho ainda não acabou. Está na hora de treinarmos cobranças de falta.

Pasmo geral no vestiário americano, mas diante da disposição do treinador – que tratou logo de voltar para o campo encharcado, puxando ele mesmo a barreira móvel que se usa neste tipo de exercício –, ninguém ousou contestar a sua ordem. Nem mesmo o irrequieto Bráulio, que já se preparava para tirar o uniforme enlameado e entrar no chuveiro, mas, sem outra alternativa, retornou ao gramado, ainda que balançando negativamente a cabeça, em atitude que deixava mais do que evidente o seu descontentamento.

Barreira colocada na altura da marca do pênalti, bola na entrada da área, País no meio do gol, e de uma enorme poça começaram as cobranças. Cada uma pior do que a outra, pois àquela altura estava claro que ninguém queria mais nada com o treino. Bráulio, então, que normalmente batia na bola com efeito e com maestria, estava irreconhecível. Seus chutes saíam fracos, pífios mesmo, e na maioria das vezes nem ultrapassavam a barreira. Foi quando Tim se aborreceu:

– Ô, Bráulio, será que eu vou ter que te ensinar como se cobra uma falta? – explodiu a velha raposa.

– Não dá, professor; no meio deste charco e com a bola pesada desta maneira, não dá! – respondeu, já irritado com o treinador.

– Pois então, eu vou mostrar como dá – replicou o técnico, encaminhando-se para o local das cobranças e tomando a bola das mãos do próprio Bráulio.

Suspense total no Andaraí, Tim tomou uma distância de dois ou três passos, caminhou concentrado para a bola, armou o chute e, quando o desferiu... seu calção arriou até os joelhos (!!!) deixando-o em situação das mais constrangedoras, além, é claro, de atrapalhar por completo a cobrança de falta (a bola, de tão chocha, nem chegou ao gol de País).

Houve quem risse, houve quem ficasse constrangido, houve até quem, como eu, sinceramente, tivesse sentido vontade de chorar. Imperturbável mesmo só ficou o velho Tim. Com a mesma calma com que determinara o treinamento extra de cobrança de faltas, ele se levantou e ergueu o calção, amarrando-o, desta vez, não abaixo da barriga – já bem proeminente –, mas na cintura. Com voz firme, então, pediu outra bola.

"Não vai dar certo!", pensei, comigo mesmo, já rezando para que aquilo tudo acabasse o mais rapidamente possível.

Tim voltou a tomar distância e a chutar. Desta vez, entretanto, quem chutou não foi o velho treinador, mas o genial jogador do Fluminense e da seleção brasileira, na Copa de 1938. A bola ganhou altura, encobriu a barreira, País se esticou todo, mas nem viu por onde ela entrou.

Bráulio e todos os demais jogadores, entretanto, viram. E, a partir daquele instante, voltaram a treinar a sério as cobranças que "El Peón" exigia.

Dias depois, no alçapão da rua Bariri, o América enfrentou o Olaria, debaixo de um temporal e em um campo muito mais enlameado do que o do Andaraí naquela tarde. Venceu por 1 a 0.

Gol de Bráulio. De falta.

SÓ O JUIZ NÃO VIU

Jogavam Charleroi e Geel, pelo Campeonato Belga. Ataque do Geel, o goleiro do Charleroi sai ao encontro do centroavante adversário. Este tenta encobri-lo e o jovem Mahamadou Kere, já fora de sua área, salta e defende a bola com a mão. Todos no campo viram claramente a falta e esperavam que o goleiro fosse expulso. Desesperado, ante a sua iminente expulsão, o pobre Mahamadou chuta a bola com raiva para o fundo de suas próprias redes. O juiz, entretanto, não vira a mão do goleiro fora da área. Gol contra, válido!

Para sorte de Mahamadou, o Charleroi acabou ganhando o jogo por 3 a 1.

MALDADE

Maldade da época em que Ronaldo Fenômeno ficou um tempão parado, por causa de uma gravíssima lesão no joelho:

Milene, então sua mulher, liga para a Granja Comary e pede para falar com Ronaldo:

– Ronaldo, querido, tenho duas notícias para te dar: uma boa e outra ruim.

– O que foi, amor? Qual o problema?

Grávida de seis meses, ela pergunta:

– Quer que eu conte primeiro o quê? A má notícia ou a boa?

– A boa primeiro.

– A boa é que o pequeno Ronald voltou a chutar a minha barriga. E chutou forte!

– Que legal! E a má?

– Ele sentiu o joelho...

OLHA A HORA!!!

Coronel Fabriciano, em Minas. O ano era o de 1965 e o jogo do Social Esporte Clube. O locutor Luiz Medeiros narrava a partida, e lá pelas tantas, como de hábito, virou-se para trás para ver as horas num velho relógio, na parede da cabina:

– Tempo e placar em Coronel Fabriciano... PQP, roubaram o relógio!!!

O MORCEGO DO GOL

HISTÓRIAS DE MEU parceiro Victor Kingma são sempre bem-vindas nas minhas colunas. E também nos meus livros:

"A pacata cidade de Jacutinga do Norte amanheceu em festa naquele domingo. Seria finalmente inaugurado o estádio local, sonho de todos os moradores.

Até a acirrada rivalidade entre os dois principais times, o Jacutinga e o Barro Preto, foi esquecida. Na confraternização, um selecionado com os melhores jogadores da região foi formado para enfrentar o misto de um clube da capital.

Agustín, o 'Morcego', o torcedor mais conhecido do Jacutinga, tinha 1,98 m e 130 kg, e já se tornara uma figura folclórica no lugarejo. Bandeira na mão, era sempre o primeiro a chegar nos jogos. Sua presença, entretanto, causava preocupação, pois ele costumava ficar possesso quando o chamavam de Morcego ou faziam qualquer brincadeira que lembrasse o apelido, que abominava.

Muitas foram as confusões em que se meteu, principalmente nos dias do famoso clássico 'Jacu Preto', acirrado prélio entre Jacutinga e Barro Preto.

Nestes dias, para provocá-lo, a torcida rival entoava o coro bem alto: 'Morcego, Morcego!'. E ele, enfurecido, saía quebrando tudo. Nem mesmo a polícia conseguia detê-lo.

Agustín não batia mesmo muito bem das idéias e só uma coisa o fazia esquecer o futebol: a paixão cega por revistas em quadrinhos. Com os gibis, desligava-se de tudo. Virava criança e ficava horas lendo, dócil e calmo...

E eis que no grande dia, com o palanque cheio de autoridades, tudo era só alegria. Mas a presença do problemático torcedor deixava apreensivos os organizadores, o prefeito e até o vigário. Apesar de ser uma partida festiva, e se algum agitador o chamasse pelo apelido? Seria o caos!

Um desses puxa-sacos de palanque resolve, então, agir: chama o filho e o manda dar uma revistinha qualquer para 'distrair' e acalmar o bravo Morcego.

– Diz pra ele que é presente do prefeito – recomenda o bajulador.

E tudo parecia resolvido. Após os discursos e da cerimônia de inauguração, a bola rola em clima de festa. De repente, o tumulto! 'Agustín Morcego', mais furibundo que nunca, salta o alambrado, invade a cancha e se dirige, aos berros, para o palanque das autoridades. E vai derrubando tudo pelo caminho...

Todos tentam segurá-lo. Balbúrdia geral! Corre-corre. Ao ver o sorriso irônico do filho, ao seu lado, o puxa-saco pergunta:

– Menino, você não fez o que lhe pedi?

– Claro, pai! Dei um gibi e falei que era presente do prefeito...

– Qual gibi?

E o Juquinha, com um riso sacana:

– BATMAN!!!"

FILME DA METRO

Dois torcedores saíram do Maracanã e depois de muitas cervejas resolveram cortar caminho pela Quinta da Boa Vista. Trôpegos, nem perceberam que passavam pelo Zoológico do Rio e acabaram sentando-se em frente à jaula do leão. Surpresa, a fera balançou a cabeça e começou a rugir. Assustado, um dos torcedores levantou-se, dizendo:

– Vou embora!

E o outro:

– Eu, não! Vou ficar para assistir ao filme.

IDENTIFICAÇÃO

Hotel da seleção, em Londres, Copa de 1966. Assediados por torcedores, os jogadores davam autógrafos. O goleiro Gilmar escrevia "Gilmar dos Santos" (seu nome verdadeiro). Do seu lado, Manga, seu reserva, nem pestanejou. Ao chegar a sua vez, lascou: "Manguinha do Botafogo"...

ELE MESMO

Autódromo de Jacarepaguá, 1983: encerrada a corrida, uma Parati dourada, placa BU-7806, de São José dos Campos, tenta fugir ao colossal engarrafamento, na avenida Alvorada (atual Ayrton Senna).

Corta daqui, corta dali, entra pelo acostamento e acaba provocando a ira de um motorista que, cara para fora da janela, vocifera:

– Qual é, ô palhaço? Estás pensando que é o Nelson Piquet?

Era o próprio...

BICHO DE ESTIMAÇÃO

Temporada de 1987, no "circo". Sem muita paciência, Nelson Piquet ia respondendo a uma entrevista do tipo "perfil do consumidor": filme predileto, pasta de dente que usa, time do coração, cor preferida, e por aí vai. Foi quando a jovem repórter perguntou:

– Animal de estimação?

E o Nelson, dando um salto teatral:

– Pelo amor de Deus, não vá colocar aí Nigel Mansell, né?

O "CINEASTA"

Toca o telefone na casa de Romário e, do outro lado da linha, Bradock, seu inseparável parceiro, dispara:

– E aí, peixe, vamos pra *night*?!?

Já com programa marcado com a mulher Danielle, o Baixinho declina da "convocação":

– Não dá, Bradock, vou ao cinema. Já combinei com a Dani de ver *Beleza americana*.

Desapontado, o amigo resmunga, mas completa, cheio de admiração:

– Mas tu gostas de cinema mesmo, hein, peixe? É um tremendo "cineasta"...

DE PÉ

Rumo a São Januário, Romário vai dirigindo o seu Porsche, com o amigo Bradock de carona. Passando pela avenida Brasil, no Caju, este olha para um prédio dentro do cemitério e pergunta:

– Peixe, que edifício é aquele lá?

– É um cemitério vertical, parceiro.

– Poxa, Roma, quer dizer que os defuntos ficam de pé o tempo todinho?

GARANTIA VENCIDA

CAMPEONATO BRASILEIRO de 1977, Fla × Cruzeiro, no Maracanã. Falta a favor do time mineiro, na intermediária rubro-negra.
O próprio Zico vai organizando a barreira quando o goleiro Cantarele solta a pérola:
– Abre! Não precisa!!!
– Ficou maluco? – reage Zico, líder e capitão do time. Olha quem vai chutar! – diz, apontando para o Nelinho.
– ESSE CARA É UM DOS MAIORES CHUTADORES DO MUNDO! – insiste o Galo, já nervoso.
– A falta é de muito longe. Deixa que eu garanto – rebate o goleiro.
Sem barreira, Nelinho dispara um míssil que vai explodir diretamente no fundo da rede.
– Eu acho que a sua garantia está com o prazo de validade vencido... – ironiza Zico, ao buscar a bola no fundo do gol de Cantarele.
O Flamengo ainda viraria placar para 3 a 1, mas, já no final, aconteceu outra falta a favor do Cruzeiro, praticamente no mesmo local da primeira.
– Vai dispensar a barreira de novo? – pergunta Zico, ironicamente.
– Não! Não! Não! Quero, no mínimo, uns oito na barreira. Pelo amor de Deus!!!

◆

Milton Coelho da Graça, que foi meu editor-chefe em duas ocasiões n'*O Globo* e me sucedeu, como correspondente e responsável pela cobertura da F-1, em 1998, me honra com um e-mail e uma história deliciosa. Conta aí, Miltão!
"Renato, a história que você contou do balaço do Nelinho contra Cantarele me lembrou uma outra, bem mais antiga, que merece ser lembrada pelos 83 anos de Jair Rosa Pinto.
Cariocas × Paulistas, na década de 1950. Jair vai bater uma falta na altura da linha média do time de São Paulo, bem do lado esquerdo, onde era especialista.
Oberdan, o grande goleiro paulista, manda armar uma barreira de

quatro. Jair bate daquele jeitão em que a bola parecia ir para fora, mas aí fez uma curvinha e entrou no ninho da coruja esquerdo. Oberdan nem se mexeu, porque achou que a barreira tinha atrapalhado seu golpe de vista.

Alguns minutos depois, outra falta no mesmo lugar, uns 25 metros de distância e enviezada. Malandro, Oberdan muda de tática:

– Quero limpa, nada de barreira!

Uma vez mais a bola pareceu que iria para fora, fez a curva e... GOL! O Oberdan? Voltou a não se mexer. Paradinho, paradinho..."

TRADUÇÃO

Vale do Sinos, no Rio Grande do Sul, jogo entre o Dois Irmãos e o Ivoti. No último minuto, o centroavante do Dois Irmãos (um dos muitos alemães da numerosa colônia de lá) faz um gol espetacular, de bicicleta! Ele marca e corre, para o banco, gritando:

– *Mia braça, mia braça!*

Todos pulam em cima do artilheiro, que continua a urrar, já desesperado:

– *Mia braça, mia braça!*

Foi quando perceberam o que o gringo queria dizer:

– *Mia braça* quebrou.....

O infeliz fraturara o braço ao cair, depois de marcar o belíssimo gol de bicicleta.

FRANGOS DE ENCRUZILHADA

MAIS UMA DE um dos meus fornecedores especiais de "causos", Victor Kingma:

"Decisão de campeonato no interior mineiro, e pela primeira vez a equipe do Catauara chegava lá. Mas a final seria complicada. No campo do adversário...

Pior: teria que jogar com o ataque reserva, pois os titulares estavam contundidos e, mais grave, enfrentaria o melhor goleiro do campeonato: 'Paredão', gigante que estava a dez jogos sem tomar gol...

Isto tudo, naturalmente, deixava sem sono o presidente do Catauara, o folclórico Zé Tenório, também conhecido como 'Cascavel da Mantiqueira'.

Sabendo que 'Paredão' era freqüentador assíduo do terreiro de 'Pai Genésio', o cartola resolve apelar para o 'velho amigo', a quem fez uma 'visita de cortesia'. Na véspera da final, uma sexta 13, não deu outra: 'Paredão', foge da concentração e vai pedir proteção ao Pai-de-Santo.

– Ocê tá muito carregado, fio! Precisa fazer um trabalho pro 'Véio' te ajudar.

– O que, Pai Genésio?
– Tem que me arrumar até amanhã, três frangos pretos. Só assim o 'Véio' pode te livrar deste peso!
– Mas não vai dar. Estou concentrado! Onde vou arrumar as galinhas?
– Ih, a coisa tá feia, meu fio... De algum jeito, esses frangos vão aparecer! Aqui ou no campo. Inté manhã...
Fim de jogo: 3 × 0 para o time do Cascavel da Mantiqueira: três incríveis frangos, engolidos pelo traumatizado 'Paredão', em chutes despretensiosos do desconhecido atacante jamaicano M'Utreta, que estreava exatamente na final..."

PAPAI!

A piada não tem nada com o esporte. Mas ri um bocado quando o recebi, pela internet...
No vagão de um trem viajam um velhote, todo engomadinho, e um jovem *punk*. O velhote não tirava os olhos do cabelo do jovem, multicolorido, com a maior parte verde, um grande topete amarelo e listras parecendo arco-íris. Irritado, o *punk* grita:
– Qual é, mané? Vai dizer que nunca fez extravagâncias quando era jovem?
E o velhinho, calmo:
– Claro que fiz, meu jovem. Certa vez transei com um papagaio. Por isso estava olhando tanto pra você. Achei até que podia ser meu filho...

FAZER OU LAZER?

Sandro Moreyra – cronista que fazia do bom humor e da fina ironia as principais armas na luta pelo esporte –, além do Botafogo, tinha outra grande paixão: a praia de Ipanema.
Certo dia, estava com o seu grupo, no Castelinho, quando um chato que vivia tentando se enturmar entre eles resolveu se despedir sob a alegação de que tinha muito o que fazer. Com sua verve tradicional, Sandro não perdeu tempo:
– Eu fico porque tenho muito o que "lazer"...

UM CONSELHO INFELIZ

LÁ PELOS IDOS de 1960, o Botafogo foi com o seu timaço jogar no Estádio Olímpico, contra o Goiânia Esporte Clube. O marcador de Garrincha seria o lateral Barbosa. Ao seu lado, na zaga, o "cumpadre" Silvino.

Combinaram os dois que, quando o Garrincha se aproximasse com a bola, Silvino, mais experiente e malandro, alertaria Barbosa se ele deveria ou não ir para o combate direto.

– "Cumpadre", o homem é o capeta. Não vá se expor ao ridículo – aconselhou.

Rola a bola, com idas e vindas do Garrincha, e o Barbosa cheio de vontade. E o Sivino repetia:

– "Cumpadre", é melhor não ir não...

E, cercado de longe, Garrincha fazia o centro ou passava a bola para o lado, sem executar o famoso balé dos "Joões".

Quarenta minutos do segundo tempo, com o Botafogo já ganhando por 2 a 0 e todos os jogadores cansados, Garrincha recebe e vai até a bandeira de escanteio fazer um pouco de cera. Foi quando Silvino liberou o Barbosa:

– Agora vai, "cumpradre"! Toma a bola do "Demo" ou arrebenta com ele!

E Barbosa investiu furioso, soltando um grito assustador e arriscando uma tesoura voadora no Mané, que apenas tirou a bola mansamente do caminho, saiu da frente do lateral enlouquecido e cruzou para o terceiro gol do Fogão.

O Barbosa? Bem, o Barbosa arrancou a bandeirinha de escanteio com o peito, caiu sobre o alambrado e quebrou o dente de um desavisado torcedor que, grudado ao alambrado, assistia à dantesca cena...

O estádio inteiro não sabia se vibrava com o lance ou ria do Barbo sa. Restou ao "cumpadre" Silvino, depois da partida, pedir desculpas pelo mau conselho...

MAIS NÃO DÁ!

Aconteceu num Corinthians e Comercial, dos tempos do folclórico presidente Vicente Mateus, que, como de hábito, tinha dado uma "ajuda" financeira para o juiz facilitar as coisas.

No primeiro tempo, o árbitro anulou um gol legítimo do Comercial e deu um pênalti inexistente para o Corinthians – que o chutou pra fora. Veio o intervalo, 0 a 0 no placar, o juiz disparou, ao descer para o vestiário.

– Avisa ao "seu" Mateus que já fiz o que podia. Mais, vai dar na pinta. Eles, agora, que corram atrás.

Final: Comercial 1 a 0.

DÁ-LHE, NATALINO!

Dirigido pelo técnico Joel Santana, o Vasco preparava-se para disputar mais uma final. Na "corrente", no vestiário, o Natalino enche os pulmões e dispara, cheio de fervor:

– Gente, é jogo de vida ou morte; hora de dar tudo. É nessas horas que a gente tem que pensar na família; a família que, por nossa causa, se PRIVATIZA de tanta coisa...

CORRIDA CURTA

Na década de 1950, o Fluminense tinha uma concentração na Mário Portela. O diretor Gastão Soares de Moura, saudoso conterrâneo de Ubá, descia a rua, lendo jornal, quando foi abordado pelo então jogador Telê Santana:

– Doutor Soares, o senhor vai para a cidade? Entre que eu lhe dou uma carona – disse, orgulhoso, o Telê, diante do seu Ford Bigode.

Já sentado no banco traseiro, o dirigente espantou-se com o tempo que o "Fio de Esperança" gastava, girando a manivela à frente do motor, para fazer o carro pegar. Tirando os olhos do jornal, avisou:

– Olha, eu só vou até o Largo do Machado. Não precisa dar muita corda, não...

POBRE FILÉ

COM OS HOTÉIS de Paris lotados, por causa de um festival de música, Ronaldinho (que foi à França ser examinado pelos médicos que o operaram) se hospedou numa pousada, nos arredores da Cidade-luz.

Sexta-feira passada, à tardinha, ele combinou com o assessor Rodrigo Paiva fazer um *paté de fois gras* com torradas. Torradeira ligada, eis que de repente surgem fãs em busca de autógrafos. Ele e Rodrigo se distraíram e o pão, queimando, começou a soltar fumaça. Em segundos, soava o alarme de incêndio.

Apavorado, surgiu correndo o Filé (o fisioterapeuta Nilton Petroni), que estava no quarto ao lado. Vestido apenas de sapato, meias de seda e cueca – com um desenho do Mickey beijando a Minie –, Petroni gritava, tremendo como vara verde, por causa da temperatura de 8 graus:

– Fogo, Fogo!

Pior: a porta de seu quarto batera e ele não conseguia voltar. Desesperado, foi tocar a campainha do quarto de Ronaldinho, que, às gargalhadas, ainda o deixou um bom tempo tiritando no corredor, com uma mão na frente e outra atrás, tentando cobrir o "Mickey e a Minie".

Fisioterapeuta sofre...

TÊNIS RUBRO-NEGRO

Taça Libertadores de 1981, o Flamengo viaja para o Paraguai para fazer dois jogos seguidos: enfrentaria o Cerro Porteño e o Olimpia. Hospedada no luxuoso hotel cassino Ita Enramada, a delegação rubro-negra decide matar o tempo entre os treinos fazendo um torneio de tênis, numa das quadras do complexo. Até os jogadores que nunca tinham pegado numa raquete se empolgam, e depois de um sorteio o jogo inaugural é entre Adílio e Nunes. O talentoso apoiador, já com uma certa experiência no esporte; o impetuoso artilheiro, absolutamente virgem na modalidade. Adílio ganha o sorteio, vai para o serviço e dá o primeiro saque. Nunes isola a bola.

– Quinze, zero – conta Adílio.

– Ei, o que é isso, "Brow" (o apelido de Adílio)??? Começou agora. Um a zero!!! Não vem me roubar, não!!!

A FOTO DA FORTUNA

Cruzeiro × Paraná. Título praticamente assegurado, time posado para a tradicional foto, e o zagueirão Cris emenda.

– Vamos lá, gente! Vamos tirar a foto para a "prosperidade"...

DELÍRIO

Anos 60. Após um jogo noturno no Morumbi, Pelé resolveu dar carona ao roupeiro do Santos, que morava na periferia de São Paulo. Na volta para o centro da cidade, o "Rei" se perdeu. Depois de rodar por várias ruelas, em plena madrugada, Pelé, preocupado, resolveu pedir informações numa birosca. Ao descer do carro, ouviu um homem totalmente embriagado dizer para o companheiro de mesa, com a língua enrolada:

– Está na hora de parar de beber e ir embora, companheiro. Já estou vendo o Pelé na minha frente!

ALÍVIO

Na época do grande time do Flamengo de Zico, Júnior & Cia., o folclórico atacante Peu contava, na concentração, que há dias vinha sonhando com dentes. Foi quando Zico interrompeu-o, dizendo que isso não era bom:

– Sonhar com dentes costuma ser mau presságio: significa a morte de parentes próximos – provocou o Galo.

– Ih, tem problema, não, "seu" Zico. Eu não tenho parentes próximos. Todos moram em Maceió...

BICHO ERRADO

De um desolado Túlio Maravilha, analisando o futebol carioca:

– Em vez de ir pra frente, o nosso futebol tem andado de marcha à ré, como TARTARUGA (!?!?!?!).

ONDE MESMO?

Robertinho, goleiro do Beach Soccer, convidou Romário para ver um torneio que será realizado em Manaus. E emendou:

– Vai ser bom, é naquela praia em frente ao rio Nilo, o maior do mundo.

O Baixinho já não sabe se o torneio será mesmo em Manaus ou no Egito...

INTÉRPRETE

Excursão do Botafogo à França, em 1987, o ponta-direita Mazolinha se apresentou como voluntário para ser o intérprete da delegação. Foi chegar na Alfândega, e disparou, com biquinho e tudo mais:

– Sou Mazolê. Ponta-diretê do Botafoguê.

Acabava ali a curta carreira de um intérprete.

ESPADA

Treino da equipe de juvenil de futsal do Fla, um jogador se queixa ao técnico:

– Professor, estou com uma baita dor de cabeça.

– Pega um analgésico lá em cima – diz o treinador.

– Professor, sou espada! Não tem "oralgésico", não?

PAIXÃO DE PERNAS PRO AR

ORA VEJA SÓ, amigo leitor, em que trapalhadas se mete, por vezes, um pobre cronista. Enquanto a cidade inteira (ou pelo menos a melhor parte dela) se perde em beijocas e ternos olhares - afinal, hoje é o Dia dos Namorados -, eis-me aqui obrigado a batucar nestas solitárias teclas coisas de uma senhora simpática, mas um tanto quanto gordinha e volúvel: a bola.

Não há de ser nada, não há de ser nada - resmungo eu, rabugento, lembrando-me que até o saudoso mestre Rubem Braga, em um certo dia de mau humor, saiu a desancar os próprios leitores (e os desancou com tanto talento que, com certeza, nenhum deles ousou reclamar). Sem o talento e a fúria do cronista maior, opto, pois, por outro tipo de doce vingança. Vou contar aos namorados de hoje a triste história de uma paixão de ontem.

De onde viera tal paixão, ninguém sabia.

– Ora, da própria beleza do lance – arriscavam uns.

– De uma famosa fotografia que viu, ainda criança – explicavam outros.

Na verdade, porém, nem ele mesmo conseguia explicar sua obsessão. Sabia apenas que, desde a mais tenra infância, desde os tempos de dente-de-leite, a idéia o perseguia, com a força de uma maldição:

– Fazer um gol de bicicleta! Um belo gol de bicicleta, em uma grande final, com o estádio repleto de torcedores, a agitar bandeiras ao vento, em procela!

Não, afinal, não parecia ser algo tão difícil assim. Não ao menos para ele, que desde menino demonstrara inequívoca vocação para a bola e, protegido pela sorte (ou pelos deuses dos estádios), tivera uma carreira tão meteórica quanto brilhante. Ainda com idade para jogar nos juvenis, já era titular absoluto de um grande time da cidade. No tempo em que, normalmente, bons jogadores começam a firmar seus prestígios, já era titular absoluto da seleção brasileira:

– Este menino é um fenômeno. Vai longe! – diziam aqueles uns, do começo da história.

– É um predestinado! – completavam os outros.

Não era nem uma coisa nem outra. Era apenas um bom jogador – ágil, criativo e, acima de tudo, incrivelmente batalhador (detestava perder, até mesmo o cara ou coroa do início dos jogos). Continuava a persegui-lo, contudo, a síndrome do grande gol, do gol de bicicleta, feito em uma grande final.

Os outros gols? Bem, os outros gols iam se sucedendo com naturalidade, os títulos se acumulando e a sua fama de craque crescendo. Gol de bicicleta, porém, nunca. Nunquinha. Em um clássico, por causa dele, acabou até brigando com um grande amigo, talvez o maior deles.

A bola veio cruzada alta, sobre a área. Perdidos no lance, o goleiro e os zagueiros adversários apenas aguardavam, apavorados, o que ele iria fazer. Preparou-se, armou o bote para trás, calculou a tão sonhada bicicleta e...

O amigo mergulhou "de peixinho" e fez, com uma prosaica cabeçada, o gol da vitória do seu time, aquele que seria o seu grande gol!

Na pirâmide dos abraços, nem foi visto. Amargurado, retornou ao meio-campo e, naquele jogo, mal tocou na bola outra vez. No vestiário, cercado de repórteres, desmentiu, com falsidade, qualquer aborrecimento, mas a verdade é que nunca mais falou com o amigo. Afinal, inflamado pela sua própria razão, remoía a dor de ter vislumbrado o seu gol – o gol de bicicleta! – e o outro simplesmente o roubara com uma mísera e medíocre cabeçada...

Aos poucos, foi até se desiludindo da possibilidade do tal gol de pernas para o ar. Mais de uma vez presenciou-os de perto (feitos por outros), mas, cinicamente, preferia pensar:

– Bobagem! De que vale fazer um gol assim? Que diferença faz?

E seguia fazendo os seus gols – belos gols de trivela, de curva, de cabeça, de falta e de pênalti – e sendo constantemente artilheiro e campeão. Algo, porém, continuava, lá no fundo, a lhe fazer falta.

Foi quando veio a Copa do Mundo e ele, logo ele!, titular absoluto, sentiu, durante os treinos, uma inesperada contusão na virilha. Terminou fora da seleção e do próprio Mundial. Àquela altura da carreira – é claro –, a perda da oportunidade de disputar a Copa do Mundo era algo terrível, mas, cético, ele preferiu transformá-la em uma coisa não tão importante assim. Desesperançado, já não acreditava mais nos seus gols de bicicleta, quanto mais que pudessem ser feitos em plena Copa!

A seleção embarcou, não venceu o campeonato, e ele, em seu retiro forçado, ganhou, de graça, até mais prestígio:

– Ah, se ele tivesse ido... – lamentavam alguns fãs desiludidos.

A este tempo, a contusão já estava praticamente curada e seu time iria começar uma excursão caça-níqueis para colocar as finanças em dia. Por isso mesmo, não se surpreendeu quando o presidente do clube lhe pediu que jogasse:

– Tudo bem, vou nessa! Vai ser até bom para pegar ritmo – concordou, tranqüilo.

E veio o primeiro jogo, em um campinho do interior. Um jogo daqueles em que, normalmente, ele mal se preocuparia em correr com afinco durante os noventa minutos. Naquele dia, porém, algo fervia a mais em suas veias. Enfrentando zagueiros praticamente amadores, sentia-se como se jogasse a própria Copa perdida. E as toscas arquibancadas de madeira do pequenino "galinheiro" surgiam aos seus olhos, majestosas como as de um Monumental de Nuñez. Tudo parecia acontecer como na louca vertigem de um sonho.

Um sonho, só podia ser isso. De repente, lá vinha a bola cruzada alta, na altura ideal. O beque longe, o goleiro inerte à sua frente. Podia apenas testar firme, escolhendo o canto. Podia matar no peito e deixar que a bola escorresse até qualquer um dos pés (chutava tão bem de direita quanto de canhota). Podia até bater de canela que a bola, fatalmente, entraria.

Não, não era, não podia ser nada disso. Era o sonho que, de repente, se materializava em um estadiozinho de quinta categoria.

Que importava o estádio? Era o sonho. O seu sonho!

Suando frio, deu um passo à frente e virou-se de costas para o gol.

Havia chegado, enfim, a sua hora.

Mas não havia fotógrafos, não havia VT para registrar o antológico e tão esperado gol.

Aos diabos com a tecnologia! Era a hora do seu gol!

O zagueiro impotente, o goleiro estático e aparvalhado, e a bola descaindo, macia, submissa. À sua feição.

Saltou como um gato, e a primeira perna a fazer o movimento da bicicleta foi a canhota – chutaria de direita, decidiu em uma fração de segundo.

A bola vindo, o corpo erguido no ar.

Um golpe de ar. Um golpe vindo sabe-se lá de onde – provavelmente das profundezas do inferno! –, e o desvio mínimo, mas suficiente, na trajetória curvilínea da bola.

A perna puxando em vão o vazio. A bola, manhosa e traiçoeira, passando a décimos de milímetro da ponta de sua chuteira.

O riso da torcida.

O alívio do goleiro.

A solidariedade constrangida dos companheiros, que correram para ajudá-lo a se levantar depois do grotesco tombo em que se transformou a bicicleta sem a bola.

Terminou logo depois o amistoso.

E a carreira do craque escoou pela linha de fundo da vida.

Exatamente como a bola-rainha dos seus sonhos, que custou tanto a vir, e quando veio acabou desviada pelo destino por um simples golpe de ar...

FOGE, FILHO!

Década de 1980, e o Campo Grande tinha um jogador chamado Marco Aurélio. Na véspera de um jogo contra o Flamengo de Zico, o pai do jogador enche a cabeça do pobre coitado:

– Marquinhos, marca o Zico! Pára o Galo e você vai se consagrar!

Começa o jogo, e lá vai Marco Aurélio. Da arquibancada, o pai grita:

– Vai, Marquinho. Vai nele! Vai com tudo!

E Zico toca a bola por entre as suas pernas. Outra jogada e a cena se repete:

– Vai nele, meu filho!

E toma de drible. Na quinta vez em que o garoto é driblado, o pai, em desespero, muda o discurso:

– Não vai mais nele, não, filhão! Fica longe! Bem longe desse infeliz...

RESSALVA OBRIGATÓRIA

Preciosidade pinçada pelo jornalista Gustavo Henrique de Souza, após um jogo do Fluminense em que o técnico Joel Santana foi especialmente "brindado" pela torcida:

– Eles podem me chamar de burro. Mas têm que admitir que eu sou um burro sábio...

Depois do recente milagre que o Natalino operou com o Flamengo no Campeonato Brasileiro de 2005, no mínimo, muito sortudo...

ÁRBITRO "INTERNACIONAL"

Anos 60, jogo no Pelezão, entre Carioca e Brasília. Juiz: Zé do Rio – um árbitro estrábico, que naquele dia errava sistematicamente contra o Carioca. Harley, o capitão do time, perde a paciência e diz:

– Ô Zé, presta atenção que você está marcando tudo somente contra nós...

E o Zé do Rio responde, cheio de si:

– Fica na sua, garoto. Sou juiz internacional! Já apitei até em Goiânia...

O NOME DO DEDO

Redação de *O Globo*, perto do fechamento, o repórter tem uma dúvida na hora de identificar o dedo com o qual o jogador fizera um gesto obsceno.

– Como é mesmo o nome deste dedo aqui? – pergunta, repetindo o gesto, dedo em riste.

E a estagiária, toda animadinha:

– Espera aí: mindinho, seu vizinho, fura-bola, pai de todos, mata-piolho...

ESTAGIÁRIA ITALIANA

Giulio Sanmartini conta a história de estagiário da vez. E esta é internacional!

"Caro Renato, aqui na Itália também há estagiárias na redação. Uma foi mandada para o Campeonato Mundial de Atletismo, que aconteceu em Paris. Ao entrevistar um atleta, perguntou-lhe que modalidade praticava:

– Lançamento de martelo – foi a resposta.
– A que distância? – insistiu a foquinha.
– Uns quarenta metros.
– QUARENTA METROS??? E consegue acertar no prego????"
Pano rapidíssimo...

O APELIDO DA BATATA

Recém-chegado ao Flamengo, o folclórico atacante alagoano Peu sofreu uma lesão na panturilha:

– Onde foi a contusão? – pergunta o repórter.

– Na patu... patu...

Nervoso, Peu vê o zagueiro Manguito e pede ajuda:

– Ô, Manguito! Como é mesmo o apelido que o doutor pôs na batata da perna???

CAMPEONATO DE PIPAS

VICTOR KINGMA, um dos meus colaboradores mais criativos, ataca outra vez:

"Naquelas duas cidadezinhas do interior a rivalidade era grande e as disputas entre os dois principais times monopolizavam toda a população. E naquele domingo não se falava em outra coisa, pois seria a final do campeonato.

De um lado, a defesa menos vazada com o goleiro Baliza: autêntico paredão. Do outro, um ataque arrasador, com o artilheiro Leo Cerol: conhecido pela velocidade impressionante.

O apelido vinha da paixão pelas pipas, seu *hobby* predileto. Domingo de sol, enquanto a maior parte da garotada se juntava nos campos, era comum vê-lo correndo pelas pastagens, atrás das pipas que cortava com o cerol que ele mesmo fabricava. Nada lhe dava mais prazer.

Naquele fim de semana, um problemão: a final do futebol coincidia com um torneio de pipas, tradicional na cidade. Duro era convencer o nosso craque a participar da partida. E numa reunião da qual participaram até o prefeito e o vigário, conseguiu-se, enfim, que ele trocasse as pipas pelo jogo, tão importante para a comunidade.

Chega o grande dia e, numa partida truncada, o empate de 0 × 0 se arrasta. Leo Cerol parece disperso, olhar perdido no horizonte. De repente, o zagueiro dá um chutão pra frente e a bola é toda da defesa adversária. Nosso craque inicia então um de seus piques alucinantes. A torcida se levanta, os locutores se preparam para gritar gol. Leo Cerol passa como um raio pela intermediária, atravessa o campo como um foguete, toma a dianteira na corrida contra os zagueiros... passa pela bola, atravessa a linha de fundo e... diante do olhar estarrecido de todos, pula o alambrado a tempo de chegar na frente da garotada, que corria atrás de uma imensa pipa colorida..."

DIRETAMENTE DO FUTURO...

Amistoso da seleção de futebol do Brasil com uma equipe local, na fase final de preparação para as Olimpíadas de Sydney. Era início da tarde na Austrália e, naturalmente, fim de noite do dia anterior, no Brasil. Foi quando um dos nossos intimoratos radialistas entrou ao vivo, para dar o panorama da partida:

"Atenção, atenção, BRASIL! Estamos falando diretamente do FUTURO!!! Vocês estão aí, numa boa, curtindo a noitinha de sábado, mas fiquem sabendo que já é tarde aqui de domingo aqui na Austrália!"

Pano rápido – e envergonhado...

PROCURA-SE

Aquele artilheiro conquistador fazia compras no supermercado, quando encontrou um conhecido:

E aí, peixe, o que está fazendo?

– Estou procurando a minha mulher, xará!

– Mas que coincidência! Eu também me perdi da minha! Como é a sua?

– Alta, loura, olhos azuis, um par de pernas muito bem torneadas, seios salientes e lábios carnudos. Está usando um vestidinho vermelho, justo e decotado, que eu até já falei pra ela que talvez esteja um bocadinho curto demais. E a sua mulher, como é?

– Que se dane a minha! Vamos procurar a sua...

A MÃO QUE AFAGA

(Esta última crônica deste livro não é sobre futebol, tampouco sobre esportes. Trata-se apenas de uma declaração de amor – profundo, incondicional e inabalável.)

O MENINO TINHA loucura por cães; a mãe não os queria ver nem pintados. Por conta dessa diferença, boa parte da infância do guri foi uma autêntica queda-de-braço, na qual, de tempos em tempos, vira-latas escondidos na casa pelo primeiro, eram expulsos no dia seguinte pela segunda.

Na época do vestibular, entretanto, uma grande surpresa:

– Se você passar, aceito um cachorro.

Em tempo: ninguém na família apostava um vintém na aprovação do jovem (nem o próprio!). Graças, porém, ao milagre da múltipla escolha, eis que, horas após a divulgação da lista, lá estava ele, radiante, na "Bicholândia", a escolher seu animalzinho.

Bem, escolher não foi exatamente o termo, pois só havia um filhote à venda. A raça? Na verdade, eram várias: focinho de *collie*, orelhas de *setter*, pêlo de policial... Em resumo: um legítimo "pastor da Baviera", como o classificou, bem-humorado, o pai, outro que adorava bichos.

Foi batizado "Tenente", em homenagem ao serviço militar, que o rapaz deveria prestar naquele ano. E também por causa das obrigações do herdeiro com a caserna, passou a ficar muito mais tempo com a mãe do que com o filho.

Dócil e carinhoso, o cão logo conquistou a dona da casa, que, para não se dar por vencida, fazia sempre a ressalva, quando surpreendida, acariciando a barriga do animal com o pé:

– Continuo a não gostar de cachorro. Só do Tenente!

Gostava de fato. O que, todavia, não impediu que, após uma briga feia com o filho (pega daqueles típicos de choques de gerações), desse cartão vermelho para o rebento e seu fiel amigo.

Olhos rasos d'água, coube ao pai dar a notícia ao jovem (que passaria a morar num apartamento menor da família, em outro bairro da cidade). Irritado, este não se fez de rogado. Mala, cuia e cão a tiracolo, saiu de casa, trovejando:

– Aqui não ponho nunca mais os pés!

Os seis meses que se seguiram foram de aflição para toda a família. Pai, irmã, avô, avó e tia tentavam, sem suceso, uma trégua entre a mãe e o filho, os quais, turrões e muito parecidos, não davam o braço a torcer.

Quem mais sentia a separação, entretanto, era o Tenente. Tristonho, sempre deitado pelos cantos, começou a recusar comida, e ao final daquele semestre estava praticamente desenganado pelos veterinários:

– Não reage a nenhum medicamento – contou, desolado, o filho ao pai.

Quando soube do estado do animal, a mãe acenou com um cessar-fogo na guerra fria:

– Mande ele trazer o bichinho aqui que eu cuido – disse ao pai.

Trégua proposta, trégua aceita, no outro dia, o filho e o cachorro voltaram ao apartamento que haviam deixado há seis meses.

Já na garagem, o animal gania, nervoso. Quando a mãe abriu a porta, mesmo sem forças, Tenente saltava, como se tivesse molas, e abanava o rabo, como um liquidificador.

Emocionados, mãe e filho acabaram abraçados num choro incontido que pôs por terra todas as mágoas.

O cão? Sarou, engordou e ficou com o pêlo lustroso, a ponto de chamar a atenção na rua por sua beleza.

Um legítimo pastor da Baviera! A típica encarnação de um amor de mãe – capaz de superar quaisquer brigas, barreiras e diferenças.

Este livro foi composto em Stone Informal,
corpo 10/14,5 e impresso pela Ediouro Gráfica
sobre papel Pólen Soft 70g, em fevereiro de 2006.